会議の英語フレーズ1000

デイビッド・セイン 著
David Thayne

the japan times 出版

※本書は、『ビジネス英語の新人研修 Prime 4 会議のフレーズ』（2014 年 7 月 20 日初版発行）の改訂版です。
巻頭にオンライン会議の章を追加し、内容を見直したほか、無料音声ダウンロードとアプリに対応しました。

はじめに

「英語の会議」を怖がっていませんか？
「日常会話もできないのに、英語で会議なんて無理！」と決めつけていませんか？

　実は、話題が次々と変わる日常会話と違い、会議にはある程度「決まった流れ」と「決まった言い回し」があります。そして多くの場合、自分の専門分野や職務に関係する会議に参加します。
　つまり、基礎知識があるのですから、すべての英語が聞き取れなくても、およその進行にはついていけるはずです。また決まった言い回しを多用するので、基礎をマスターしていれば、あとはその応用で済みます。

　そう、英語の会議はそれほど恐れるものではないのです。基本フレーズを身につけたあとは、そのアレンジで切り抜けられます。

　ここで、会議の流れを簡単に確認しておきましょう。

1　まずは「事前準備」です。主催者側か参加者なのか、自分の立場や役割を理解し、議題に応じて下調べをしましょう。
2　会議の開催が決まったら、出席・欠席・遅刻といった事務連絡が必要になります。周囲に迷惑をかけないよう、連絡は迅速かつこまめにしましょう。
3　実際に会議が始まったら、この本を片手に、積極的に発言しましょう。

　大事なことは、「発言する際、難しい英語を使う必要はない」

ということ。誰にでも誤解なく伝わるよう、シンプルな英語で、言いたいことを明確に伝えることが何よりも大切です。

　そう、失敗を恐れてはいけません。その場の雰囲気で、多少言い間違えても通じるものです。気持ちを伝えるように心がけましょう。

　改訂版となる本書では、新たにオンライン会議の章を設け、「最新のビジネス会議」にも対応できるようにしました。

「話しているとき以外はミュートにしてください」

「資料を画面共有します」

「質問がある方はチャットルームにコメントをください」

などといったフレーズは、これまで使わなかったものです。オンラインでの会議では独特の言い回しが必要となりますから、こちらもぜひマスターしてください。

　本書を参考に、自信を持って英語の会議に参加しましょう！

Keep on going forward!

デイビッド・セイン

Contents

オンライン会議

事前準備

開始前

進行役

報告・提案

議論

まとめ

会議後ほか

Chapter 2 開始前

Chapter 3 進行役

Chapter 4 報告・提案

Chapter 5　議論

オンライン会議

事前準備

開始前

進行役

報告・提案

議論

まとめ

会議後ほか

Chapter 6 まとめ

Chapter 7 会議後ほか

校正・DTP 組版　株式会社 鷗来堂

装幀・本文デザイン　GRiD　八十島博明、石神奈津子

録音・編集　AtoZ Englsih ／ ELEC 録音スタジオ

音声収録時間　約 1 時間 10 分

ナレーション　Trish Takeda, Sean McGee（AtoZ Englsih）／
　　　　　　　Carolyn Miller, Dominic Allen

オンライン会議

事前準備

開始前

進行役

報告・提案

議論

まとめ

会議後ほか

本書の構成と使い方

本書は、英語で会議をする際に活用できるフレーズを集めた本です。会議でよくあるシーンごとに必須の表現を全 8 章、97 の場面に分けて紹介しています。最近増えているオンライン会議のフレーズは巻頭で取り上げています。

本文

❶ 基本フレーズ

会議の場でぜひ覚えておきたい「基本フレーズ」を左ページに掲載しています。各場面 3 点ずつを厳選し、取り上げた表現や注意すべきポイントについて、説明を加えていることもあります。まずはこのフレーズを繰り返し読み、声に出して、頭に入れましょう。

❷ 応用フレーズ

基本フレーズを発展させた「応用フレーズ」は、右ページにまとめてあります。数字は基本フレーズに対応しています。こちらにも目を通し、表現の幅を広げていきましょう。Extra は各場面に関連するフレーズです。

❸ 音声ファイル番号

無料ダウンロードできる音声のファイル番号を示しています。基本フレーズは女性、応用フレーズは男性の声で収録しています。ダウンロードまたはアプリの音声を流しながら、毎日声に出して練習しましょう。音声の再生方法については 12 ページをご覧ください。

コラム

各章末では、会議に関するさまざまな表現をコラムの形で紹介していま
す。会議中の役回りを表す言葉のほか、ネガティブな内容を前向きに表
す表現、気遣いの表現などを取り上げました。ご自分がファシリテーター
を務める場合をイメージして、参考にしてください。

音声のご利用案内

本書の音声は、スマートフォン（アプリ）やパソコンを通じて MP3 形式でダウンロードし、ご利用いただくことができます。

スマートフォン

❶ ジャパンタイムズ出版の音声アプリ「OTO Navi」をインストール

❷ OTO Navi で本書を検索

❸ OTO Navi で音声をダウンロードし、再生
   3 秒早送り・早戻し、繰り返し再生などの便利機能つき。学習に
   お役立てください。

パソコン

❶ ブラウザからジャパンタイムズ出版のサイト
   「BOOK CLUB」にアクセス
   https://bookclub.japantimes.co.jp/book/b620131.html

❷ 「ダウンロード」ボタンをクリック

❸ 音声をダウンロードし、iTunes などに取り込んで再生
   ※音声は zip ファイルを展開（解凍）してご利用ください。

オンライン会議

ここ数年ですっかり身近なものになったオンライン会議。会議中に使われるフレーズはこれまでと変わりませんが、準備やトラブル対応には独特の表現が必要になります。さっそく見ていきましょう。

◀)) Track 1

オンライン会議を
開催する 1

オンライン会議は社内でも他社との打ち合わせでも頻繁に使われるようになりました。まずは「オンラインか対面か」会議の形式を決めましょう。

🌡 基本フレーズ

① Should we have the next meeting online?

次の会議はオンラインでよろしいでしょうか?

* Should we ...? は「〜の方がいいですか?」と何かを共に行う際、相手の意向を問うフレーズです。

・・・・・・・・・・・・・・・・・・・・・・・・・・・・・・・・・・・・

② Do you know how to use Zoom?

Zoom の使い方はご存じですか?

* 使い方を知っているかどうか尋ねるフレーズは、Do you know how to use ...?(〜の使い方は分かりますか?)です。

・・・・・・・・・・・・・・・・・・・・・・・・・・・・・・・・・・・・

③ I'm sending the ID and password for tomorrow's meeting.

明日の会議用に ID とパスワードを送ります。

*「〜します」とすぐに行動に移すときは、現在進行形を使うとうまくニュアンスを出すことができます。

応用フレーズ

1-1 **Should we have tomorrow's meeting online?**

明日の会議はオンラインにしましょうか？

＊「〜しましょうか？」と確認するときは、「〜した方がいいですか？」と解釈し、Should we ...? を使うといいでしょう。

1-2 **Would you like to have the meeting online or in person?**

オンラインと対面の会議、どちらがご希望ですか？

＊ Would you like to ...? は「〜したいですか？」と相手の要望を尋ねるフレーズです。online or in person で「オンラインか対面か」という意味になります。

2-1 **What app are we going to use for the next online meeting?**

次のオンライン会議では、何のアプリを使いますか？

＊「〜しますか？」と予定を聞くときは、be going to を使います。

2-2 **Have you ever used Zoom?**

Zoom を使ったことはありますか？

＊「〜したことがありますか？」と経験を尋ねたいときは、現在完了形のHave you ever ＋過去分詞？を使いましょう。

2-3 **We're going to use Zoom for our next meeting, so please install it if you haven't already.**

次の会議では Zoom を使うので、まだお持ちでなければ入れておいてください。

＊「アプリを入れる」は install、「(アプリなどを)使う」は use で OK です。

3-1 **Here's the ID for tomorrow's meeting. And here's the password.**

これが明日の会議のミーティングID です。そしてこれがパスワードです。

＊ オンライン会議を開くときは、事前に ID やパスワードを知らせましょう。

3-2 **Let me send you the link for tomorrow's meeting. Just click it.**

明日の会議のリンクをシェアします。これをクリックするだけです。

＊ Let me ... で「〜します／〜させて」という申し出を表します。Just ＋命令文は「〜するだけ／〜すればいい」というニュアンスになります。

オンライン会議を
開催する 2

開催前には、オンラインでの参加が可能か、事前に用意して
おくものなどを確認する必要もあります。

🎤 基本フレーズ

① Can you join tomorrow's online meeting?

明日のオンライン会議には参加できますか？

* join (the) online meeting で「オンライン会議に参加する」。Can
you ...? で「～できますか？」です。

② Do you have a PC you can use for online meetings?

オンライン会議用の PC は持っていますか？

*「パソコン」は personal computer を略した PC で OK。

③ Make sure you have a headset for the online meeting.

**オンライン会議用にヘッドセットを用意しておいてく
ださい。**

*「（必ず）～してくださいね」と念を押したいときは、Make sure you ...
を使うとよいでしょう。

応用フレーズ

1-1 **Do you think I should attend tomorrow's Zoom meeting?**

明日の Zoom ミーティングには参加した方がいいですか？

* Do you think I should ...? で「〜した方がいいと思いますか？」です。

1-2 **You can join tomorrow's meeting with this link.**

明日の会議にはこのリンクで参加できますよ。

* join the meeting with this link で「このリンクで会議に参加する」。

1-3 **Please open this link at the scheduled time.**

時間になったらこのリンクをクリックしてください。

* open this link で「このリンクをクリックする／開く」です。

2-1 **You can also join the meeting by phone or tablet.**

携帯電話もしくはタブレットからでも参加できます。

* 最近はスマートフォンのことも、ほぼ phone と呼びます。

2-2 **You can participate online even without downloading the app.**

アプリをダウンロードしなくてもオンラインで参加できます。

*「アプリをダウンロードせずに」は without downloading the app です。

3-1 **Try to test your speaker before the meeting.**

会議の前にスピーカーをテストしてください。

*「カメラをテストしてみて」なら、Try to test your video. です。

Extra **Let's talk about the new product campaign from now until 3:00.**

今から 3 時まで、新商品のキャンペーンについて話し合いましょう。

*「今から〜時まで」と時間設定するときは、from now until ... となります。

オンライン会議を
スタートする前に

オンライン会議をスタートする前には、参加者が全員そろっているか、音声が聞こえるか、画面が表示されるかなどを確認しましょう。

🎙 基本フレーズ

(1) **Is everyone here?**

皆さんいらっしゃいますか？

* この場に全員がいるかを確認する際の決まり文句です。

・・・・・・・・・・・・・・・・・・・・・・・・・・・・・・

(2) **Hello. Can you hear my voice?**

こんにちは、私の声が聞こえますか？

* 「私の顔は見えますか？」なら、Can you see my face? です。

・・・・・・・・・・・・・・・・・・・・・・・・・・・・・・

(3) **Kato-san, I think you're muted.**

加藤さん、（音声が）ミュートになっているようです。

* 「声が聞こえない」は「ミュートになる（be muted）」で表します。

応用フレーズ

オンライン会議

事前準備

開始前

進行役

報告・提案

議論

まとめ

会議後ほか

1-1 Do we have everyone?

皆さん（参加して）いますか？

* Do we have ...? と表現すると、フォーマルな言い回しに聞こえます。

1-2 Is everyone logged in?

皆さんログインできていますか？

* everyone は単数扱いのため、Is everyone ...?（みんな〜ですか？）です。

2-1 Can everyone hear my voice?

皆さん私の声は聞こえますか？

* 全員に対して何かが可能かを確認するときは、Can everyone ...? です。

2-2 If you can hear my voice, please raise your hand.

私の声が聞こえたら、挙手してもらえますか。

* 「挙手する」は raise one's hand です。

3-1 Kato-san, you need to unmute yourself.

加藤さん、ミュートにしないように。

* You need to ... は「〜するように」という軽い注意になります。

3-2 Kato-san, could you turn on your audio?

加藤さん、音声をオンにしてもらえますか？

* 「音声をオンにする」は turn on one's audio、「オフにする」なら on を off にすれば OK。

Extra-1 Please mute yourself except when talking.

話しているとき以外はミュートにしてください。

* 動詞 mute は「ミュートにする」という意味です。

Extra-2 I'm in a noisy place, so I'll join with my audio off.

騒がしい場所にいるので、音声をオフにして参加します。

* 周囲の音を聞かれたくないときのひと言。「音声をオフにして」は with my audio off です。

Extra-3 I need to leave part way through, so I'll leave my screen off.

中座するので、画面をオフにします。

* 映像を見せたくないときは、「screen を off します」のひと言を。

19

オンライン会議を開始する

オンライン会議を開始する際は、主催者を紹介するほか、質問する場合のルールについて決めておくとよいでしょう。

🌡 **基本フレーズ**

(1) **Let's get started. This is our weekly online meeting with ABC and XYZ.**

さあ始めましょう。ABC 社と XYZ 社の週例会です。

* 毎週決まってある定例会ならば、weekly online meeting で「週例会」です。

....

(2) **Today's host will be Takahashi-san from Public Relations.**

本日の主催者は、広報部の高橋さんです。

* 「主催者」は host です。ただし最近は、配信する人を host と呼ぶこともあるようです。

....

(3) **If you'd like to ask a question, just raise your hand.**

質問をしたい場合には、挙手してください。

* 「挙手」の機能がアプリについていることもありますね。

1-1 **We've decided to have our regular meetings with ABC online.**

オンラインで ABC 社との定例会を開くことにしました。

* We've decided to ... で「〜することにしました (決めました)」という報告の表現になります。

1-2 **We expect to have about 100 people at the weekly meeting today.**

本日の週例会には約 100 人が参加する予定です。

*「約〜人が参加する」は、have about ... people と表現すると簡単です。

2-1 **Takahashi-san from Public Relations will be the host.**

広報部の高橋さんが本日の主催者になります。

* ...-san from ... Department で「〜部の〜さん」のように部署と名前を紹介できます。

2-2 **Takahashi-san from HR will be the facilitator.**

高橋さんが本日のファシリテーターです。

* facilitator は「司会者、進行役」。「人事部」は Human Resources、もしくは HR とも略されます。

3-1 **Please raise your hand if you'd like to say something.**

何か言いたいことがあるときは、挙手してください。

*「もし〜なら、〜してください」と尋ねるときは、Please ... if you ... です。

3-2 **Please send any questions you might have to the chatroom.**

質問がある方は、チャットルームにメッセージを送ってください。

* 質問はチャットルーム (chatroom) で受け付けると、内容や順番の整理ができます。

3-3 **Please use the chat function to send in your questions and comments.**

質問やコメントの送付にはチャット機能を使ってください。

*「チャット機能」は chat function です。

◄)) **Track 5**

オンライン会議を
進行する

オンライン会議は、参加者のネットワーク環境により、映像の
フリーズや音声の途切れが生じる場合があります。進行上確
認すべきことを、すぐに英語で言えるようにしておきましょう。

🌡 基本フレーズ

① Go to page 2 of the file for today's agenda.

本日の議題はファイルの2ページ目をご覧ください。

* 「議題」は agenda、「ファイル」はそのまま file です。

. . . .

② Could you share the material?

資料を共有してもらえますか？

* 丁寧に何かを依頼するときは Could you ...? が最適。「～を共有する」
は share を使いましょう。「画面共有する」なら share the screen とな
ります。「書類を画面共有してもらえますか？」と言いたければ、Could
you share the screen with the document? のように頼みます。

. . . .

③ We're getting a lot of background noise. Could you move to a quieter place?

**雑音がかなり入ります。もっと静かな場所に移動して
もらえますか？**

* 「雑音」は「後ろの騒音」と解釈し、background noise と表現しましょう。

オンライン会議

1-1 The topics we need to cover are on page 2.

取り上げるべきトピックは 2 ページ目にあります。

* 動詞の cover には「(話題を)取り上げる／取り扱う」という意味があります。

事前準備

2-1 Maybe you should share the document with us.

資料を共有した方がいいかもしれません。

* Maybe you should ... で「〜した方がいいかもしれません」という提案になります。

2-2 First, let me share today's materials.

まずは、本日の資料を共有します。

開始前

2-3 I'll share this slide with you later.

後ほど、このスライドを皆さんにシェアします。

3-1 We're getting some background noise. Could you go somewhere quieter?

後ろの雑音が入ります。どこか静かな場所に移動してもらえますか？

進行役

3-2 Could you get closer to the mic?

もっとマイクに近づいてもらえますか？

報告・提案

3-3 We're getting some feedback. Could you turn on your mic only when you're speaking?

ハウリングしています。話すときだけマイクをオンにしてもらえますか？

* 雑音やハウリングなどの音が聞こえるときは、We're getting ... と表現すると嫌味なく伝えることができます。feedback は「ハウリング」の意味です。

議論

Extra-1 Yamada-san, we can't see your face. Could you adjust your camera angle?

山田さんの顔が見えません。カメラの角度を調整してもらえますか？

* 「調整する」は adjust、音量やカメラの角度などに対して使えます。

まとめ

Extra-2 Could you enlarge the relevant part of the document?

資料の該当部分を拡大してもらえますか？

会議後ほか

オンライン会議での
トラブル対応

オンライン会議にはトラブルがつきもの。音声が聞こえない、画面が見えない、会議室に入れないといったトラブルに対応する、オンライン会議ならではの用語をマスターしましょう。

🌡 基本フレーズ

(1) Sorry, but I don't think your screen is being shared.

すみませんが、画面共有されていないようです。

* It looks like you're not sharing your screen. とも表現できます。

(2) I don't have a very good net connection.

ネットの接続があまりよくありません。

* don't have a very good net connection で「ネットの接続があまりよくない」。

(3) Yamamoto-san, your screen has frozen.

山本さん、画面がフリーズしていますよ。

*「フリーズする」は、英語でも freeze を使います。

1-1 Oh, you're still sharing your screen.

あ、まだ画面共有していますよ。

＊ 画面共有したままの人がいたら、こんなひと言を。最初に Oh と付け加えると、キツい印象になりません。

2-1 Sorry, but my Internet connection isn't very stable.

すみません、インターネットの接続があまり安定していません。

＊ not very stable で「あまり安定していない」です。

3-1 Yamamoto-san, your screen is frozen. Could you move to a better location?

山本さん、画面がフリーズしています。もっといい場所に移動してもらえますか？

＊「画面がフリーズしています」は Your screen is frozen. でも OK です。

3-2 Yamamoto-san's PC is freezing so just a minute.

山本さんの PC がフリーズしているので、少しお待ちください。

＊「PC がフリーズしている」は PC is freezing と伝えましょう。

3-3 Your screen is down. Could you log in again?

画面が落ちているようです。ログインし直してもらえますか？

＊「画面が落ちている」とは故障、または機能が停止していることを指すので、down を使うとよいでしょう。

Extra-1 Maybe something's wrong with your mic. We're getting a lot of noise.

そちらのマイクの調子が悪いようです。かなりのノイズが入っています。

＊「マイクの調子が悪い」は something's wrong with one's mic です。maybe（〜のようだ）をつけるとやわらかい表現に。

Extra-2 Could someone let me into the meeting?

誰か私を会議に入れてもらえますか？

＊ ホストが承認しないと会議に入れない場合は、このように誰かに頼むとよいでしょう。

Extra-3 I'm waiting for someone to give me permission to enter.

誰かが私に参加の許可をくれるのを待っています。

オンライン会議を閉会する

会議を終えるときは、資料や議事録をどうするか、質問はあるか、次の会議の主催者などを決めてから退出してもらいましょう。

🌡 **基本フレーズ** ▬▬▬▬▬▬

① **Does anyone have anything else?**

他に何かある人はいますか？

* 会議の終了間際の決まり文句です。Does anyone ...? と does を使うことに注意。

. . . .

② **I'll e-mail the minutes to everyone later.**

議事録は後ほど皆さんにメールで送ります。

*「議事録」は、「分」などと同じ minute です。数分で書ける短いものだから、という説があります。

. . . .

③ **The marketing department will be the host next time.**

次回はマーケティング部がホストを務めます。

*「ホストを務める」は「ホストになる」と考え、be the host と表現します。

1-1 **Does anyone have anything to say before we end today?**

会議を終える前に、何か発言がある方はいますか？

＊「誰か〜がある人はいますか？」と確認するなら、Does anyone have anything to ...? と声をかけましょう。

1-2 **Are there any other issues? If you have something, just click your "Raise Hand" icon.**

他に何か問題はありますか？　ある方は「挙手」のアイコンをクリックしてください。

＊「『挙手』のアイコン」といった機能がある場合、"Raise Hand" icon のように表現すれば OK。

2-1 **I'll send today's minutes later today.**

今日の議事録は、後ほどお送りします。

＊ I'll send ... later today. で「後ほど〜を送ります」。... の部分は、画像や資料、動画などに入れ替えましょう。

2-2 **I'll put today's minutes in the shared drive.**

今日の議事録は共有ドライブに入れておきます。

＊「共有ドライブ」は shared drive、「〜を入れて（置いて）おく」は put を使いましょう。

2-3 **I just sent a URL with today's reference materials to the chatroom.**

チャットルームに本日の参考資料の URL を送りました。

＊「参考資料」は reference materials、「（まさに今）〜しました」と言うときは、just を使うとうまくニュアンスが出せます。

2-4 **Today's meeting was recorded, so I'll send everyone the link later.**

本日の会議は録画したので、後ほどそのリンクを送ります。

＊「会議は録画されている」と解釈し、be recorded と受動態で表現しましょう。

3-1 **The marketing team is going to host next time.**

次回はマーケティングチームがホストを務める予定です。

＊「〜する予定です」とあらかじめ決まった予定を伝える際は、be going to ... を使うとよいでしょう。

オンライン会議で
役立つ表現

オンライン会議は今後ますます増えていくでしょう。気軽に
開催できる反面、環境に大きく左右されるため、事前の準備
が重要です。その他の役立つ表現を見ていきましょう。

🌡 基本フレーズ

(1) **Please keep the video on so we can see your face.**

顔が見えるよう、ビデオはオンにしておいてください。

* 「ビデオをオンにしておく」は keep the video on です。

．．．．．．．．．．．．．．．．．．．．．．．．．．．．．

(2) **Okay, I guess we're finished. Talk to you later.**

はい、（会議は）これで終わりのようですね。また後で
話しましょう。

* I guess ... は「～のようですね／～と思います」という断定を避ける言
い回しです。

．．．．．．．．．．．．．．．．．．．．．．．．．．．．．

(3) **The next online meeting is scheduled for next Wednesday at 2:00.**

次のオンライン会議は、来週水曜日の 2 時に予定して
います。

* 「～に予定する」は be scheduled for ...、全員がいる場で次の予定を
決めてしまうと便利です。

1-1 **We'd like to see everyone's face, so please turn on your video.**

皆さんの顔を見たいので、ビデオはオンにしておいてください。

* 依頼かつ要望を伝えたいときに便利なのが、We'd like to ..., so please ...（〜したいので、〜してください）という言い回しです。

- -

1-2 **Tanaka-san's monitor is off.**

田中さんの画面がオフになっています。

*「画面」は monitor または screen です。

- -

1-3 **If you don't want to show us your house, you can use a virtual background.**

家を見られたくない人は、バーチャル背景を使えます。

* 自宅などを見せたくない場合は、擬似背景（virtual background）を使うとよいでしょう。

- -

2-1 **This concludes today's meeting. Okay, see you next time.**

これで本日のオンライン会議は終わりです。では、また次回。

*「これで〜は終わりです」は This concludes ... が決まり文句です。最後のひと言は Okay, see you later. や Have a good day. などでもいいでしょう。

- -

2-2 **I need to leave the meeting now. Yamada-san, could I make you the host?**

もう退出しなければなりません。山田さん、あなたをホストにしてもいいですか？

*「〜をホストにする」は make ... the host です。

- -

3-1 **I have it set so that a meeting starts automatically at 2:00 every Wednesday.**

毎週水曜日、2 時に自動的に会議が始められるよう設定します。

* 定期的に会議を開催するときのフレーズです。「〜するように設定します」は have it set so that ... で表します。

- -

Extra **If you want to mainly see the people who are speaking, choose the speaker view.**

話し手をメインで見たいなら、スピーカービューを選んでください。

* 話し手中心の画面表示方法は「スピーカービュー（speaker view）」などと呼ぶと分かるでしょう。

オンライン会議の必須用語をまとめました。多くが英語のまま「カタカナ語」として使われていますが、あらためてスペルや意味・用法を確認しておきましょう。

chatroom：「チャットルーム」。本来は chat room と 2 単語でしたが、最近は 1 単語で使われることが多くなっています。「（会話のように）やり取りする場」を表します。

facilitator：「（会議などの）司会者、進行役」は、「ファシリテーター」とカタカナ語で呼ばれることが多くなっています。オンライン会議が広がるとともに、発言がかぶらないように采配する facilitator の存在感が増し、身近な言葉になりました。

freeze：「フリーズ、フリーズする」。コンピュータやプログラム等の動作が止まることを指し、have frozen（フリーズしている）のように用います。

feedback：「フィードバック、ハウリング」。通常は「反応、意見」といった意味で使われますが、オンライン会議などでは「（音響機器の）ハウリング、フィードバック」を表します（同意語：audio feedback）。

login：「ログイン、ログインする」は、本来 log in という 2 単語の句動詞でした。しかし一般化するにつれ login と 1 単語となり、名詞・動詞の両方で使われるようになりました。

mute：「消音設定、消音設定（ミュート）する」。mute button（ミュートボタン）、mute oneself（自分をミュートにする）のように使います。

send the link/password：「リンク／パスワードを送る」。メール同様、URL や ID、パスワードなどを「送る」際は send を使います。

share the screen：「画面共有する」。「画面」は screen、「共有する」は share を使います。share the material（資料を共有する）のように用いることができます。

webinar：「ウェビナー」。web 上で開催される seminar（セミナー）のことで、web + seminar からできた新しい言葉です。

Chapter **1**

事前準備

会議を開催するには決まった手順があります。
日時や場所、参加者の条件、議題の連絡など、
流れに沿って手際よく進めていきましょう。

会議の開催を提案・要求する

会議の開催を提案または要求するには、まず会議の目的が、相手を説得するに足るものでなければなりません。こちらの目的をきちんと相手に伝えることが、第一ステップです。

基本フレーズ

(1) **We need to have a planning meeting for the winter campaign.**

冬季キャンペーンの企画会議を開きたいと思います。

* meeting for ... は「〜についての会議」という意味です。

. . . .

(2) **Let's meet to talk about the coming spring salary hike.**

来春の昇給に向けての（労使）会議を開きましょう。

* Let's ... を使うことで、一方的な提案／要求ではなく、双方にとって関係がある、ということを示しています。
労使問題でよく耳にする「ベア」とは「ベースアップ」、つまり「基本給の昇給」の意味の和製英語です。アメリカには「基本給」という考え方はないので、このような場合は昇給 salary hike と言います。

. . . .

(3) **We need to make the budget plan for next year.**

来年度予算案の策定をしたいと考えています。

1-1 **We need to have a sales report meeting for last month.**

先月の売上報告会議をする必要があります。

1-2 **I'd like to have a preparation meeting for the campaign.**

キャンペーンのための事前の会議を行いたいと思います。

2-1 **The labor union has requested a meeting.**

労働組合から、会議の申し入れがありました。

3-1 **We need to make a decision soon, so let's meet twice a week.**

早急に結論を出す必要があるので、週2回の会議をお願いします。

3-2 **We can't delay planning the budget, so we need to meet as soon as possible.**

予算策定は待ったなしですので、1日でも早い会議を希望します。

* can't delay「延期できない」で、「待ったなし」のニュアンスを表すことができます。

Extra **We have nothing urgent to talk about at the next regular meeting, so I'd like to cancel it.**

次回の定例会議は緊急の検討事項がないため、キャンセルとしたいと思います。

オンライン会議

事前準備

開始前

進行役

報告・提案

議論

まとめ

会議後ほか

参加者の条件を知らせる

会議を開く際には、参加者の選定が必要です。参加人数を絞り過ぎれば密室会議と言われかねませんが、不必要に大勢の参加者がいる場合は決定が遅れる可能性もあります。

🌡 **基本フレーズ**

① We'd like two people from each department to attend.

各部署から 2 人の出席をお願いいたします。

* We'd like two people ... で、日本語の「2 人の出席をお願いします」をシンプルに表しています。

. . . .

② This meeting is only for people within the department.

会議の参加は部内の人間のみに限らせていただきます。

* 日本語で「部外者の出席はご遠慮願います」と言うと角が立ちますが、only for people ...「～の人に限る」と表せば、拒否しているニュアンスが和らぎます。

. . . .

③ I'd like to get PR's viewpoint. Could you call Yamada-san?

広報の方の意見も聞きたいと思います。山田さんを呼べますか？

* get viewpoint で「見解を得る、意見を聞く」という意味で使えます。

応用フレーズ

(1-1) The head of each department needs to attend.

各部署の責任者は必ず出席してください。

. . . .

1-2 All accounting managers are required to attend.

会計部長の方々全員に、出席していただく必要があります。

. . . .

1-3 To get as many opinions as possible, we need at least five people from the staff to attend.

できるだけ多くの意見を得るために、最低5人の一般社員の参加が必要です。

. . . .

(2-1) Only those who attended the previous meeting are invited.

前回の会議に参加された方のみに出席していただきます。

＊「参加していなければ出席できない」といった否定の表現を避けた言い方です。

. . . .

2-2 Only those who can attend both the first and last meetings are invited.

最初と最後の会議に出席できる方のみ、参加できます。

. . . .

2-3 The minimum number of attendees is 15, and the maximum number is 30.

出席者は最低15人、最高30人までとします。

. . . .

(3-1) Let's invite the person at ABC in charge of the campaign.

ABC社のキャンペーン担当の方をお招きしましょう。

オンライン会議

事前準備

開始前

進行役

報告・提案

議論

まとめ

会議後ほか

会議の日時・場所について都合を尋ねる

複数の忙しい人を集めなくてはならない会議の時間と場所を決める際に、電話でもメールでも使えるフレーズをご紹介します。

🌡 基本フレーズ

① Could you let me know the best time and place for you?

そちらの一番ご都合のよい時間と場所を教えていただけますか？

....

② Do you have a time or location preference for the meeting?

会議にご希望の時間や場所はございますか？

....

③ Do you think you could come here for the meeting?

こちらでの会議においでいただくことはできますか？

* Do you think you could ...?「〜していただくことはできますか？」は丁寧な依頼の定番表現です。

1-1 What's the most convenient location for you?

一番ご都合のよろしい場所はどちらでしょうか？

. . . .

1-2 Could you tell me when and where you'd like to meet?

ご都合のよい時間と場所を教えていただけますか？

. . . .

2-1 If you could give me a couple of times convenient for you, I'm sure I can arrange my schedule around yours.

ご都合のよろしい時間を2、3挙げていただけましたら、私のスケジュールを合わせられると思います。

* yours は your schedule。都合のよい時間をひとつではなく、複数聞いておけば、こちらのスケジュールを調整しやすくなります。

. . . .

3-1 If it's not too much trouble, could you come to our headquarters?

もしご面倒でなければ、弊社の本社においでいただけますか？

* If it's not too much trouble ... は相手に対する気遣いを表すひと言です。

. . . .

3-2 Would you mind meeting us here?

こちらで私達と会うということでよろしいでしょうか？

. . . .

3-3 Would you like me to go to your office for the meeting?

会議には私がそちらへ参りましょうか？

. . . .

Extra-1 Are you available on Monday or Tuesday next week?

来週の月曜日か火曜日、ご都合はよろしいでしょうか？

. . . .

Extra-2 Maybe we could have the meeting on the last Friday of each month.

毎月最終金曜日に会議をするのはいかがでしょうか。

* Maybe we could ... は控えめな提案・誘いのフレーズです。

会議の日時・場所について都合を伝える

一方的な主張に聞こえないような言い方を覚えましょう。

🎤 **基本フレーズ**

① **I'd like to suggest meeting at 11:30 on August 16.**

会議は8月16日の11時30分ではいかがでしょうか？

* I'd like to suggest ... は「〜はどうでしょうか？」という控えめな提案になります。

② **I don't mind visiting your office.**

御社をお訪ねするということでかまいません。

* I don't mind ... は「どちらでもかまいません」の意味。I don't care ...「どうでもいい」と間違えないようにしましょう。

③ **If we could meet at my office, it would be really helpful.**

弊社でお会いできれば、大変助かります。

* If we could ... と過去形にすることで、丁寧さが増します。

1-1 **Do you think we could have the meeting on August 16 at 11:30?**

8月16日11時30分で打ち合わせできますでしょうか？

1-2 **I think it might be best if we have the meeting here this time.**

この時間に、こちらで会議をするのが最善かと思われます。

* I think it might be best if ... は非常に丁寧な提案表現です。

2-1 **I could easily visit your office, if you'd like.**

よろしければ私が御社に参ります。

2-2 **It would be no trouble at all for me to go anywhere convenient for you.**

ご都合のよろしい場所へ伺うのはまったく問題ありません。

3-1 **Do you think you could come here for the meeting?**

会議のためにこちらへおいでいただけますでしょうか？

* Do you think you could ...? は丁寧な依頼表現です。

3-2 **I'm afraid I need to stay in the office on Friday, but we could meet if you wouldn't mind coming here.**

申し訳ありませんが金曜日は社にいなければなりませんが、こちらにお越しいただけるのであればお会いできます。

Extra-1 **My schedule is flexible, so I can meet you almost anytime.**

こちらのスケジュールは融通がききますので、いつでもお会いできます。

Extra-2 **I'll e-mail you a link with information about how to get here.**

こちらまでのアクセス情報をメールにてお知らせします。

Extra-3 **The only time next week I would be able to leave the office is on April 19.**

来週会社を出られるのは4月19日だけです。

* I would be able to ... は「もしできるとすれば」の意味になります。

会議の事前準備をする

会議の準備に欠かせない、会議室の手配、呼びかけ、詳細や資料の事前送付などに使うフレーズを確認しましょう。

🎙 **基本フレーズ**

① Could you reserve a meeting room?

会議室を予約していただけますか？

* 会議室の手配を依頼するためのフレーズです。Could you ...? はどんな場合でも使える依頼の万能表現です。

② Please be sure to attend the Planning Meeting on May 21 at 4:30.

5月21日4時30分の企画会議には必ず出席してください。

* 一度知らせた会議の日時を1週間前などに再度送るリマインドのためのフレーズです。「日にち、時間」の順序で日時を告げましょう。

③ Below are the details for the Spring Budget Meeting:

春季予算会議の詳細は以下の通りです。

* 事前に会議の詳細を送る際のフレーズです。Below are ...「〜は以下の通りです」は定番表現です。

1-1 **Could you reserve a large meeting room for 11:15?**

大会議室を 11 時 15 分で予約していただけますか？

. . . .

1-2 **Could you make sure that the large room is available?**

大会議室が使えるかどうか確認していただけますか？

. . . .

1-3 **Would you mind handling the meeting room arrangements?**

会議室の準備をお願いしてもよろしいでしょうか？

* handle は「扱う／処理する／対処する」など非常に幅広い意味を持つ単語です。

. . . .

2-1 **Are you available for the Planning Meeting on May 21 at 4:30?**

5 月 21 日 4 時 30 分の企画会議に出席できますか？

* available は「チケットなどが入手できる」をはじめ、「手が空いている／対応できる／出席できる」など多くの意味を持ちます。ビジネス場面では活用の場が多くあります。

. . . .

2-2 **Everyone needs to be at this very important meeting.**

この大切な会議には全員の出席が必要です。

. . . .

3-1 **The details for the meeting are attached.**

会議の資料を添付します。

* I'm attaching the details ... と言い換えることもできます。

. . . .

3-2 **Here's the information about the Spring Budget Meeting.**

こちらが春季予算会議の資料です。

. . . .

Extra-1 **If you can't attend, please let me know as soon as possible.**

出席できない場合は、できるだけ早くお知らせください。

. . . .

Extra-2 **If you have any questions, or are unable to attend, please let us know.**

何かご質問がある場合、あるいは出席できない場合には、お知らせください。

オンライン会議

事前準備

開始前

進行役

報告・提案

議論

まとめ

会議後ほか

会議の議題を知らせる

会議の効率化を考えた場合に重要なのは、出席者に議題を知らせておくことです。そうすれば皆、前もって準備して臨むことができます。忙しい出席者の時間を無駄にしない方法です。

🎸 基本フレーズ

① **The meeting will cover three topics: the monthly budget, quality, and shipping methods.**

会議では3つの項目を取り上げます。月次予算、品質、出荷方法です。

. . . .

② **I've attached the agenda for your reference.**

ご参考までに議題を添付いたしました。

* I've attached ... は I'm attaching ... よりも丁寧な「添付する」という表現です。

. . . .

③ **Please let me know if you think we need to revise the agenda.**

議題を修正する必要がありましたら、お知らせください。

* 直接 we need to revise ... と言うよりも you think を入れることで表現がソフトになります。

オンライン会議

事前準備

開始前

進行役

報告・提案

議論

まとめ

会議後ほか

(1-1) **We will talk about the monthly budget, quality, and shipping methods.**

月次予算、品質、出荷方法について話し合います。

1-2 **We need to focus on how to reduce our shipping expenses.**

出荷費用（送料）をいかに減らすかに焦点を絞る必要があります。

1-3 **The main topic at the meeting will be the monthly meeting.**

会議の主要テーマは月例会議です。

* 「週決め（週1回）の会議」は weekly meeting、「年次（年1回の）会議」は annual meeting です。

(2-1) **Please refer to the following agenda.**

次の議題をご覧ください。

2-2 **Below is a list of the topics we need to cover.**

下記が、私たちが扱わなければならない項目のリストです。

(3-1) **Feel free to send suggestions about the next meeting's agenda.**

次の会議の議題に関して何か提案がありましたら、遠慮なくお送りください。

3-2 **We can accept revisions to the agenda up until 5:30 today.**

議題の修正は本日5時30分まで受け付けます。

Extra-1 **Is there anything specific you would like to discuss?**

特に話し合いたいことはありますか？

Extra-2 **Because of the limited time, we will not be able to cover any other topics.**

時間が限られていますので、他のテーマについては取り上げられません。

* because of ... は「理由／原因」を述べるコンパクトなフレーズです。

会議の準備を依頼する

資料の準備や役割分担の際にもさまざまなやりとりが行われます。誤解や資料の不備などのないよう、注意を払いましょう。

🎤 基本フレーズ

(1) Could you make a Powerpoint presentation for tomorrow's meeting?

明日の会議でパワーポイントのプレゼンをしていただけますか？

* a Powerpoint presentation で「パワーポイントを使ったプレゼン」をシンプルに表せます。

. . . .

(2) We need to make 20 copies of this report for the meeting.

会議用にこの報告書が 20 部必要です。

* copy は「コピー／複写」以外に「部数／冊数」なども表します。

. . . .

(3) Could you e-mail everyone the minutes and the agenda?

この議事録と議題を全員にメールしていただけますか？

* minutes は議事録のこと。

(1-1) Could you please put together tomorrow's Powerpoint presentation?

明日のパワーポイントのプレゼンをまとめておいていただけますか？

* put together で「まとめる、組み立てる」。

1-2 Here are the points I would like you to include in the presentation.

こちらがプレゼンに入れていただきたいポイントです。

* I would like you to ... は「あなたに〜していただきたい」の意味になります。

1-3 Please send me a draft this afternoon, and let me know if you have any questions.

今日の午後にドラフトを送ってください。また、何か質問があれば知らせてください。

(2-1) Could you make 20 copies of this report for the meeting?

会議用に、この報告書を20部コピーしていただけますか？

2-2 Could you make a few extra copies just in case?

万一のために少し余分にコピーしていただけますか？

2-3 We'll place the reports at the meeting room entrance.

会議室の入り口に報告書を置いておきます。

(3-1) Could you send around the minutes and the agenda?

議事録と議題を回覧しておいていただけますか？

* send around で「回覧する」。

3-2 Please confirm who will take the minutes at the next meeting.

誰が次の会議の記録を取るのか確認しておいてください。

オンライン会議

事前準備

開始前

進行役

報告・提案

議論

まとめ

会議後ほか

会議の延期・中止を伝える

会議をやむなく延期・中止、または個人的に欠席する場合は速やかに、シンプルな言葉で誤解のないように伝えましょう。

🌡 基本フレーズ

(1) I'm afraid we need to postpone the meeting.

申し訳ありませんが会議を延期する必要があります。

* 相手にとって不都合なことを伝える場合は I'm afraid ... をつけましょう。

・・・・・・・・・・・・・・・・・・・・・・・・・・・・・・・・・・・

(2) Unfortunately, the Planning Meeting tomorrow has been canceled.

残念ですが、明日の企画会議は中止です。

* unfortunately は「残念ながら/遺憾ではありますが」の意味。

・・・・・・・・・・・・・・・・・・・・・・・・・・・・・・・・・・・

(3) An emergency came up, and I won't be able to attend today's meeting.

緊急事態で、本日の会議には出席できません。

* 緊急時は、あれこれ理由を述べる必要はありません。An emergency came up または An emergency happened で十分です。

応用フレーズ

1-1 **We need to move the meeting to another day.**

会議を別の日に移動させなければなりません。

1-2 **I'll contact you as soon as it's rescheduled.**

日程が再調整でき次第、ご連絡いたします。

1-3 **Could you e-mail everyone and ask them about their availability?**

全員にメールを出して、都合を聞いていただけますか？

2-1 **I'm sorry, but tomorrow's Planning Meeting was canceled.**

申し訳ありませんが、明日の企画会議は中止になりました。

* Planning Meeting は「企画会議」です。

2-2 **The meeting will be moved to a later date.**

会議は後日になります。

2-3 **I'm waiting for a response from our parent company.**

親会社から回答を待っているところです。

* parent company は「親会社」。

3-1 **There's been an emergency, so I can't attend today's meeting.**

急用ができ、今日の会議には出席できません。

Extra-1 **A member of my family has suddenly been hospitalized.**

家族が急に入院しました。

* be hospitalized は「入院する」の意味。

Extra-2 **Let us know if there's anything we can do to help.**

何か手助けできることがありましたら、知らせてください。

会議とひと口に言っても、国際会議から、他社との会議、社内会議、また部内や課内会議などいろいろです。身近な例で言えば、家族会議などもあります。格式、参加人数の規模、そして会議に充てることのできる日数・時間、会議の目的からも英語の表現は異なります。「会議」を表す英語を見てみましょう。

meeting：「会議」として最も一般的な言葉で、隣の同僚と打ち合わせをするミーティングから、大規模な会議まで幅広く使われます。

conference：会議としては meeting よりも規模が大きく、フォーマルな会議というイメージがあります。International Conference と言えば、大人数のスタッフが準備を進め、各国からの代表団を迎え、重要な議論を重ね、結論を出す場です。また、数社で行う合同会議 joint conference などもあります。

convention：この言葉をよく聞くのはアメリカ大統領選が近づいたときでしょう。大統領候補者を選出する党大会のことですが、大規模な公的会議というニュアンスがあります。また「展示会」などの意味もあり、展示会場を convention hall と言います。

council：「評議会」「諮問委員会」など、何かの委員の集まりのことです。

session：「分科会」という意味があり、morning session, afternoon session などのように使えます。

talks：peace talks「和平会議／会談」などのように、当事者が膝を突き合わせてひとつの目的についてじっくり話し合うというニュアンスがあります。

Chapter

2

開始前

会議の進行役が開始前に必要になりそうなフ
レーズを中心に紹介します。時間通りに全員
そろわなくても、落ち着いて対処できるよう
にしましょう。

遅れる旨を伝える・
遅刻したことを詫びる

不測の事態は起こるものです。そして問われるのは、その対応です。遅刻の報告は迅速に、謝罪は誠意を持って行いましょう。

🎤 基本フレーズ

① I'm afraid I'll be about 15 minutes late.

申し訳ありませんが、15分ほど遅れます。

* 遅れる場合は、おおよそでよいので時間を告げれば相手も動きやすくなります。

・・・・・・・・・・・・・・・・・・・・・・・・・・・・・・

② I'm going to be a little late, so just start without me.

少し遅れますので、先に始めてください。

* start without me は「私を待たないで始める／先に始める」の意味です。

・・・・・・・・・・・・・・・・・・・・・・・・・・・・・・

③ Sorry I'm late.

すみません、遅れます。

* 遅れるときの非常にシンプルなフレーズです。

応用フレーズ

1-1 **It'll take me another 15 minutes to get there.**

15 分ほどで到着いたします。

* another 15 minutes は「あと 15 分／もう 15 分」という意味です。

1-2 **There was an accident and the trains aren't running.**

事故があって、電車が動いていません。

1-3 **My previous appointment finished late.**

先約が終わるのが遅くなりました。

2-1 **Please don't wait for me.**

私のことは待たなくて結構です。

2-2 **Just move ahead, and I'll get caught up later.**

そのまま進めてください、後で追いつきます。

3-1 **Tell everyone I apologize.**

申し訳ないと皆さんにお伝えください。

3-2 **Sorry to keep everyone waiting.**

皆さんをお待たせして申し訳ありませんでした。

Extra-1 **Could you take notes for me and fill me in later?**

ノートを取って、後で教えていただけますか？

* fill ... in で「～を満たす／埋める」すなわち「教える／詳しく話す」という意味です。

Extra-2 **Would you like a summary of what we've talked about?**

私たちが話したことについての要約は必要ですか？

出席者を確認する

出席者と違い、進行役は会議のすべてを把握しておく必要があります。会議をスムーズに進めるため、司会者が主催者に出席者を確認するときのフレーズです。

🎤 基本フレーズ

(1) **Do you know who's coming to the meeting?**

会議に誰が来るかご存じですか？

* Do you know ... をつけることで、Who's coming ...? とそのまま尋ねるよりも控えめなニュアンスになります。

. . . .

(2) **Did John say he can come to the meeting?**

ジョンは会議に来られると言っていましたか？

. . . .

(3) **Is there anyone who can't come?**

来られない人は誰かいますか？

* 欠席者を確かめるための定番フレーズです。

🎵 応用フレーズ

(1-1) Do you have a list of the attendees?

出席者リストはありますか？

* attendee は「出席者」。attend から派生した語です。

. . . .

1-2 Please tell everyone that the meeting is mandatory.

会議出席は義務であると全員に伝えてください。

* mandatory は「職権で命じられた／義務の」の意味になります。

. . . .

(2-1) What about John? Is he coming to the meeting?

ジョンはどうですか？　会議に来ますか？

. . . .

2-2 Could you tell John that he really needs to be there?

必ず出席する必要があるとジョンに伝えてくれますか？

. . . .

2-3 Did John tell you why he can't come?

ジョンはなぜ来られないのかあなたに言いましたか？

. . . .

(3-1) Has anyone canceled?

誰か参加を中止しましたか？

. . . .

3-2 Maybe we should reschedule the meeting.

会議の日程は再調整した方がよさそうですね。

* Maybe we should ... は断定的でない控えめな提案表現です。

. . . .

Extra-1 We need to make sure we have enough chairs for everyone.

皆さん全員に椅子が行きわたるかどうか確認する必要があります。

. . . .

Extra-2 Do you think we should move to a different room?

別の部屋に移った方がいいと思いますか？

オンライン会議

事前準備

開始前

進行役

報告・提案・

議論

まとめ

会議後ほか

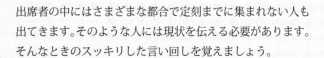

そろわない人へ
連絡を入れる

出席者の中にはさまざまな都合で定刻までに集まれない人も
出てきます。そのような人には現状を伝える必要があります。
そんなときのスッキリした言い回しを覚えましょう。

🌡 基本フレーズ

(1) The meeting is starting now.

会議は今始まったところです。

. . . .

(2) Everyone's waiting for you.

皆さん、お待ちです。

* 全員が待っている状況を伝える定番表現です。

. . . .

(3) Would you like us to wait for you?

待っていた方がよろしいですか？

* Would you like us to ...「〜した方がよろしいですか？」で相手の気
持ちを確認しています。

♪ 応用フレーズ

1-1 **We'd like to get the meeting started. Are you coming?**

会議を始めたいと思います。いらっしゃいますか？

1-2 **You're coming to the meeting, aren't you?**

会議にはいらっしゃいますよね？

2-1 **Everyone's here except for you.**

あなた以外全員そろっています。

* except for は「〜以外」。

2-2 **You're wasting everyone's time, so please hurry.**

皆さんの時間を無駄にしています。お急ぎください。

3-1 **Do you want us to get started?**

先に始めた方がいいですか？

3-2 **Do you want us to delay the start time?**

開始時間を遅らせましょうか？

* Do you want us to ... 「私たちに〜してほしいですか？」はすなわち「〜しましょうか？」の意味です。

3-3 **I'm afraid we can't wait any longer, so we'll move ahead.**

申し訳ありませんが、これ以上待てませんので、先に始めます。

* move ahead は「前進させる／進める」の意味です。

Extra-1 **We'll talk about some minor issues first.**

まず小さな問題から話しています。

Extra-2 **Please take your time.**

慌てないでいいですよ。

*「焦らないでゆっくりしていいですよ」という、相手を気遣う表現です。

資料を配布する

会議で重要な役割を果たす資料ですが、出席者への的確な案内と手際のよい配布で不要な時間を取らないようにしましょう。

🎙 基本フレーズ

(1) **Please take a copy and pass it around.**

コピーを1部取ってから、順に回してください。

* pass around は「回す」の意味。

. . . .

(2) **I made a few extras, so we should have enough.**

少し余分に用意していますから、足りるはずです。

* この場合の should は「～のはずである」という推量を表しています。

. . . .

(3) **Does everyone have a copy?**

皆さんコピーはお持ちですか？

オンライン会議

事前準備

開始前

進行役

報告・提案

議論

まとめ

会議後ほか

1-1 **Could you pass this around?**

これを回していただけますか？

. . . .

1-2 **John, could you pass out a copy of the report to everyone?**

ジョン、皆さんに報告書のコピーを配っていただけますか？

* John, のように指名することで、明瞭に指示（お願い）が伝わります。

1-3 **Please pick up a packet of information from the table in the back.**

後ろの机から資料を１袋ずつ取ってください。

2-1 **Please let me know if there aren't enough.**

もし足りなければお知らせください。

. . . .

2-2 **There should be just enough copies for everyone, so take just one.**

コピーは全員にピッタリの数だけしかありませんので、１部ずつお取りください。

3-1 **Did everyone get a copy?**

皆さん、コピーは取りましたか？

Extra-1 I'm afraid we'll have to share.

申し訳ありませんが、一緒に見てください。

* we を主語にすることで、相手に望むだけではなく「自分も含めて」というニュアンスが出ます。

. . . .

Extra-2 I'm having some more copies made now.

もう少しコピーを用意してきます。

. . . .

Extra-3 That's strange. I thought we had more than enough copies.

変ですね。コピーは十分にあると思ったのですが。

* more than enough「十分以上に」すなわち「十二分に」「余るほど」の意味。

会議の目的を表す英語の表現を確認しましょう。

情報共有を目的とした会議：
information-exchange meeting

ブレインストーミングを目的とした会議：
brainstorming meeting

研修を目的とした会議：
training meeting / orientation meeting

議論と決定を目的とした会議：
discussion and decision-making meeting

会議の種類を表す英語の表現を確認しましょう。

事前会議：**preliminary meeting**
予備／準備会議：**preparatory meeting**
社内会議：**in-house meeting / office meeting**
社内全体会議：**company-wide meeting**
部局会議：**staff meeting**
販売会議：**sales meeting**
企画会議：**planning meeting**
緊急会議：**emergency meeting**
臨時会議：**ad hoc meeting**
定例会議：**regular meeting**
週例会議：**weekly meeting**
月例会議：**monthly meeting**
年次会議：**annual meeting**
全体会議：**plenary session**

* plenary には「絶対的な／全員出席の」という意味があり、company-wide meeting「社内全体会議」よりも強制の度合いが高く感じられます。

Chapter 3

進行役

いよいよ会議のスタートです。充実した話し
合いになるかどうかは、進行役の手腕にかかっ
ていると言えます。進行に必要な基本的な表
現を押さえておきましょう。

会議を始める

会議を始めるときに必要なのは出席者全員の関心を集めることです。コンパクトでシンプルなフレーズがピッタリです。

基本フレーズ

(1) Let's try to sit close to the front.

前の方へ詰めて座ってください。

* sit close は「席を詰める/詰めて座る」という意味になります。

- -

(2) Can everyone hear me okay?

皆さん私の声が聞こえますか？

* 自分の声が聞こえているかどうか確かめる表現であるとともに、「注目！」のニュアンスもあります。

- -

(3) Okay, are we ready to get started?

それでは、始めてよろしいですか？

* Okay は皆の注目を集める「呼びかけ」です。

🎵 応用フレーズ

1-1 **Could you in the back move closer to the front?**

後ろの方は前へ詰めていただけますか？

* you in the back は「後方にいる皆さん」の意味。

1-2 **Could everyone move to the first two rows?**

皆さん、前から2列目まで移動していただけますか？

* row は「列」の意味。

1-3 **Let's leave some chairs in the back for those who come in late.**

後ろの席は、遅れて来る人のために空けておきましょう。

2-1 **Can you in the back hear me?**

後ろの方は聞こえますか？

2-2 **Should I turn up the microphone?**

マイクの音量を上げた方がいいですか？

2-3 **Can you hear me better without a mic?**

マイクがなくても聞こえますか？

* mic は microphone のこと。発音は「マイク」。

3-1 **Okay, why don't we get started now?**

それでは、始めましょう。

3-2 **All right, we have a lot to cover so let's get started.**

さあ、今日は取り上げることが多いので、さっそく始めましょう。

Extra **We have a lot to cover, so we need to go at a quick pace.**

取り上げることがたくさんあるので、速いペースで進める必要があります。

最初のひと言を述べる

会議を始めるときは会議の主催者、あるいは議長がひと言述べる必要があります。お礼であったり、今日の議題であったり、多様なフレーズを覚えましょう。

🎙 基本フレーズ

(1) **Everyone, thank you for attending.**

皆様、ご出席ありがとうございます。

* まずは出席してくれたことに感謝の気持ちを述べます。

・・・・・・・・・・・・・・・・・・・・・・・・・・・・・

(2) **We have a lot to cover today.**

本日は取り上げなければならないことがたくさんあります。

* 本日の状況を先に述べる文です。

・・・・・・・・・・・・・・・・・・・・・・・・・・・・・

(3) **We have three issues to cover today.**

今日は3つほど話し合うことがあります。

* 話し合う議題の数を具体的に述べれば、出席者も心づもりができます。

1-1 **Thanks for coming today.**

お越しいただきましてありがとうございます。

. . . .

1-2 **I know you're busy, so thanks for coming all this way.**

お忙しい中、ご足労いただきありがとうございます。

* わざわざ出向いてくれた人へのお礼の定番表現。

. . . .

1-3 **It's great to see everyone here today.**

本日は皆様にお目にかかれて大変嬉しく思っております。

. . . .

2-1 **Has everyone received the talking points?**

議題は受け取りましたか？

. . . .

2-2 **We have a full agenda today.**

本日は議題が山積しております。

* have a full agenda は「あらゆる議題がある」、すなわち「話し合わなければならないことが山積している」の意味になります。

. . . .

2-3 **We're going to try to go as fast as possible.**

できるだけ速く進めようと思います。

. . . .

2-4 **Please try to make your questions and comments brief.**

ご質問とご意見は手短かにお願いいたします。

. . . .

3-1 **We need to talk about three things today.**

本日は3点話し合わなければなりません。

. . . .

3-2 **I've written today's agenda on the whiteboard.**

ホワイトボードに本日の議題を書いております。

進行役などを
紹介・指名する

会議の司会進行役を紹介したり、司会進行役が自己紹介をしたりする際に必要となるフレーズを見ていきましょう。

🌡 **基本フレーズ**

(1) **George, would you mind being the emcee today?**

ジョージ、今日は司会をしてくださいますか？

* Would you mind ... ing は「～をしてくださいますか？」。丁寧な依頼表現です。emcee は「司会者」MC のこと。

・・・・・・・・・・・・・・・・・・・・・・・・・・・・・・・

(2) **I've asked George to be the facilitator today.**

本日はジョージにファシリテーターをお願いしてあります。

* facilitator は facilitate「容易にする／促進する」から来た言葉で、「あるグループの問題解決にあたり、さまざまな意見を導き出し、合意形成に寄与し、実り多い結果へグループを導いていく人」のこと。最近よく使われる言葉です。

・・・・・・・・・・・・・・・・・・・・・・・・・・・・・・・

(3) **I'll be the facilitator today.**

本日は私がファシリテーターを務めさせていただきます。

1-1 George, would you mind being in charge of the meeting?

ジョージ、会議を担当してくれますか？

1-2 Who do you think we should get to head up the meeting?

会議の進行役には誰がいいと思いますか？

* head up は「～を率いる、統率する」。

2-1 George has agreed to facilitate this meeting.

ジョージがこの会議の進行役を引き受けてくれました。

2-2 Here's George, today's facilitator.

こちらがジョージ、本日のファシリテーターです。

2-3 George, I'll turn the floor over to you.

ジョージ、マイクを回します。

* turn the floor over to ... で「～にマイクを回す」という決まり文句です。

3-1 I'll be the emcee at today's meeting.

本日の会議で司会を務めます。

3-2 I'll try to keep the meeting on track.

会議を順調に進めようと思います。

Extra-1 Do you think you'll be able to emcee the meeting, or should I ask someone else?

会議の司会をしていただけますか、それとも誰か他の人に頼んだ方がいいですか？

* 依頼をする場合も、別の選択肢を用意しておくことで、相手に無理強いする感じが避けられます。

Extra-2 I'm just the facilitator, so I'll avoid expressing my opinion.

私は単なるファシリテーターですので、自分の意見を述べるのは控えさせていただきます。

* 自分の立場を最初に明確にしておくことも大切です。

進行上の注意を確認する

とかく会議は長引きがちですが、忙しい人が多い場こそ、最初に状況やルールを共有しておくことが大切です。

🌡 基本フレーズ

① Let's focus on these three issues.

3つの問題に的を絞りましょう。

* Let's で始まる文は、こちらから一方的に指示する印象ではなく、共に協力し合いましょうというニュアンスが出ます。

. . . .

② Please raise your hand if you have a question.

質問がある場合は挙手してください。

* 意見を言うときの定番ルールです。

. . . .

③ We need to finish by 3:30 at the latest.

遅くても3時30分までには終わらなければなりません。

* 会議が始まる前に終了時間を告げることで、会議を効率よく進めることができます。

1-1 **We need to discuss three main issues.**

主要な3つの問題について話し合う必要があります。

. . . .

1-2 **I don't think we'll have time to talk about other issues.**

他の問題については話し合う時間はないと思います。

. . . .

1-3 **If we have time, we can also talk about travel expenses.**

時間があれば、交通費（旅費）についても話ができます。

* travel expenses は「交通費／旅費」のことです。

. . . .

1-4 **We don't have much time, so we need to stay on topic.**

時間があまりありませんので、話題から離れないようにしましょう。

. . . .

2-1 **If you have a question, please raise your hand and I'll call on you.**

質問があれば、手を挙げてください。指名します。

. . . .

2-2 **Please hold your questions until the end.**

ご質問は最後までお控えください。

* until the end は「最後まで」。

. . . .

2-3 **If you have a question, don't hesitate to interrupt me.**

質問がありましたら、途中でも遠慮なくおっしゃってください。

* Don't hesitate to ... は「遠慮せず〜してください」の定番表現です。

. . . .

3-1 **I'm afraid we have to be out of the room by 3:30.**

残念ですが、3時30分までには部屋を出なければなりません。

. . . .

3-2 **Someone else has this room reserved from 3:30.**

別の人が、3時30分からこの部屋を予約しています。

議題を確認する

参加者とともに話し合うべき議題を再度確認するためのフレーズです。参加者にも案を挙げてもらい、参加者であるという意識を高めましょう。

🎤 基本フレーズ

(1) Here's a list of today's issues.

こちらが本日のトピックのリストです。

. . . .

(2) Is there anything else we need to cover?

私たちが取り上げなくてはならないものは何か他にありますか？

* 出ている議題以外に話し合うべきことがあるかどうかを確認するフレーズです。

. . . .

(3) Do we have time for the budget?

予算のための時間はありますか？

* time for ... は「〜 (を話し合う) のための時間」の意味です。

♂ 応用フレーズ

1-1 **Here are the issues we'll be discussing.**
こちらが、私たちが話し合う問題です。

. . . .

1-2 **Is there anything you'd like to go over first?**
最初に話し合いたい問題はありますか？
* go over は「（再）検討する、論じる」という意味です。

. . . .

2-1 **Does anybody have anything in mind they would like to discuss?**
何か話し合いたいと思っていることはありますか？

. . . .

2-2 **We forgot to discuss last month's sales report.**
先月の営業報告書について話し合うのを忘れました。

. . . .

3-1 **Do we have time to talk about the budget?**
予算について話し合う時間はありますか？

. . . .

3-2 **Please give us details about the budget.**
予算について詳しく教えてください。

. . . .

Extra-1 **Let's have a show of hands.**
挙手で採決しましょう。

. . . .

Extra-2 **Is there anything else that we missed?**
何かもれていることはありますか？
* miss は「見逃す／見落とす」の意味。

オンライン会議

事前準備

開始前

進行役

報告・提案

議論

まとめ

会議後ほか

会議の流れを説明する

時間が無制限の会議はありません。限られた時間を効率よく使うためには、会議の流れを説明し、あらかじめ時間配分などをしておくことが大事です。

🌡 基本フレーズ

(1) **The first issue is the budget.**

最初のトピックは予算です。

* 「最初」と切り出します。

. . . .

(2) **Next we'll talk about the spring campaign.**

次に春季キャンペーンのことを話します。

* 2 番目のトピックについて Next「次に」で説明します。

. . . .

(3) **Finally, Sam has a report on current sales.**

最後はサムが経常売上について報告します。

* 最後のトピックを、Finally で導きます。このように順序を示すことで、相手の頭に順序よくトピックが収まります。

1-1 **We'll go over the budget first.**

はじめに、予算について検討します。

1-2 **If we have time, we'll cover the other topics.**

時間があれば、他の問題も取り上げます。

1-3 **That should only take a few minutes, and then we'll get to the other issues.**

それは数分しかかからないはずですので、その次に別の問題に取り掛かりましょう。

2-1 **The next order of business is the spring campaign.**

次の議題は春季キャンペーンです。

* order of business は「会議の議題のリスト」です。

2-2 **I think we can spend about 20 minutes on this topic.**

このテーマには 20 分ほど使えます。

3-1 **Sam will finish the meeting with a report on current sales.**

サムが、経常売上高の報告で会議を締めくくってくれます。

Extra-1 **If we have time, we'll review the current sales figures.**

時間があれば、経常売上高を検討したいと思います。

Extra-2 **I'm afraid this is too complicated to cover completely in today's meeting.**

残念ですが、この問題は複雑なので、本日の会議では完全には取り扱えないと思います。

* too ... to ~ 「~するにはあまりに…である」とは、つまり「…なので~できない」ということです。

Extra-3 **I doubt we'll have time for the current sales figures, so I'll e-mail everyone about this later.**

経常売上高のための時間がなさそうですので、この件については後ほど皆さんにメールいたします。

* I doubt ... は「~ではないと思う」。

発言者を指名する

積極的に発言をする出席者ばかりでないときもあります。そんなときこそ、MC あるいはファシリテーターが、上手に出席者の意見を吸い上げる必要があります。

基本フレーズ

(1) George, do you have any thoughts?

ジョージ、何かご意見はありますか？

* 漠然とではなく、名指しして意見を聞くこともポイントです。

(2) Sally, did you have a question?

サリー、質問はありますか？

(3) Let's give a few minutes to Linda.

少しリンダの意見を聞いてみましょう。

* Leg's give a few minutes to ... 「〜に 2、3 分あげましょう」すなわち「発言の機会を与えます」という意味になります。

1-1 **Do you have anything to add, George?**

ジョージ、何か付け加えることはありますか？

. . . .

1-2 **I appreciate your input, Linda.**

リンダ、ご意見に感謝します。

. . . .

2-1 **I'm sorry, Sally, did you raise your hand?**

すみませんが、サリー、手を挙げましたか？

. . . .

3-1 **Linda has something she would like to tell everyone.**

リンダが皆さんにお話ししたいことがあります。

. . . .

3-2 **Linda, could you try to finish in about five minutes?**

リンダ、5分程度で終わるようにしていただけますか？

. . . .

Extra-1 **Are there any other hands?**

他に何かご意見のある方はいらっしゃいますか？

. . . .

Extra-2 **Does anyone have a comment about the budget?**

予算について意見のある方はいらっしゃいますか？

. . . .

Extra-3 **Thank you for bringing that to our attention.**

この問題に注意を向けさせてくださってありがとうございました。

. . . .

Extra-4 **Thanks everyone for your contributions to today's meeting.**

皆様、本日の会議にご協力いただきありがとうございました。

* contribution to ... は「～への貢献／ご協力」。

発言を促す

活発に発言をする出席者ばかりではありません。それでも意見のない人はいないはず。その人たちの意見を上手に引き出すフレーズも覚えておきましょう。

🎵 基本フレーズ

(1) Are there any comments?

何かご意見はありますか？

* comment には「論評」のニュアンスがあります。

(2) Please don't be hesitant.

遠慮なくどうぞ。

* hesitate と be hesitant は「消極的になる／ためらう」でほぼ同じ意味になります。

(3) Anything else? Anyone?

他には？　どなたかいらっしゃいませんか？

* 非常にシンプルでありながら、的確にすべての人を指して意見を求めるフレーズになります。

1-1 **Does anybody have any more comments?**

もっとご意見のある方はいらっしゃいますか？

. . . .

1-2 **How about the people in the back?**

後ろの方はいかがですか？

. . . .

2-1 **Please don't hesitate to tell us what you're thinking.**

考えていらっしゃることは、遠慮なく我々におっしゃってください。

. . . .

2-2 **Anytime you have a comment, please raise your hand.**

ご意見のある方は、いつでも手を挙げてください。

. . . .

2-3 **Please feel free to stop me at any time.**

いつでも声をかけてください。

. . . .

3-1 **Nobody else has anything to add?**

何か付け加えたい方は誰もいらっしゃいませんか？

. . . .

Extra-1 **It is important that we get everyone's input.**

皆さん全員の意見を聞くことが大切です。

. . . .

Extra-2 **Feel free to send me an e-mail if anything comes to mind.**

何か思いついたことがありましたら、遠慮なく私までメールをください。

* Feel free to ... は「遠慮なく〜してください」の定番表現です。

. . . .

Extra-3 **We value all comments and opinions.**

皆様のコメント、ご意見を尊重します。

次の議題へ移る

会議では、議題に充てる時間のバランスを取るのも大切なことです。ひとつの議題が終わり、次の議題へスムーズに移るための表現です。

🔔 基本フレーズ

(1) **Let's move onto the next topic.**

次のテーマに移りましょう。

* move onto は「〜に乗り換える、移る」の意味です。

. . . .

(2) **I'm afraid we're out of time for this topic.**

残念ですが、このテーマについては時間がありません。

* out of ... は「〜がなくなって／〜を切らして」の意味。

. . . .

(3) **If there's nothing else, let's go on.**

もし他に何もないようでしたら、次へ行きましょう。

1-1 **Let's go to the next issue now.**
次のテーマに移りましょう。

1-2 **Let's discuss this for five more minutes and move forward.**
この件については、あと5分話し合ってから、次へ行きましょう。

1-3 **We are coming to the most important topic of the day.**
本日の最重要テーマに移ります。

1-4 **This is your last chance to comment or ask about this issue.**
このテーマについてご意見かご質問を承るのはこれで最後です。
＊「これが最後のチャンスである」と述べることで意見や質問を促しています。

2-1 **We can't spend any more time on this topic.**
このテーマについてはこれ以上時間を使えません。

2-2 **We need to finish this meeting by 5:00.**
この会議は5時までに終える必要があります。

3-1 **Are there any questions before we move on?**
次のトピックへ行く前に、何か質問はありますか？

3-2 **If there aren't any questions, let's move on.**
もし何も質問がなければ、次へ行きましょう。

3-3 **I want to make sure we cover everything.**
すべてを取り扱ったかどうか確認したいと思います。

議題を元に戻す

話が本筋からずれるのはよくあることです。それをきちんと元に戻すのは MC やファシリテーターの役割のひとつ。状況に応じて使い分けましょう。

🎤 基本フレーズ

① Let's get back on topic.

テーマに戻りましょう。

. . . .

② We don't have time to talk about that now.

その件について話し合う時間は、今はありません。

* now「今は」がポイントです。ただ「話す時間はありません」と告げるのではなく、now をつけることによって「大事なトピックではありますが、今は話す時間がありません」ということになり、相手の印象がグッと違ってきます。

. . . .

③ Let's talk about that at the next meeting.

それは次回の会議で話し合いましょう。

* 次の場を約束することで、相手を納得させることができます。

(1-1) **Let's get back on track.**

話を元に戻しましょう。

. . . .

1-2 **Let's save all comments and questions for the end of the meeting.**

コメントや質問は会議の最後に残しておきましょう。

. . . .

(2-1) **We can't focus on that right now.**

その件については、今は扱えません。

. . . .

2-2 **We can't talk about that issue right now.**

その件については、今は話し合えません。

. . . .

2-3 **Let's make time to discuss that later.**

後ほどその件について話し合う時間を作りましょう。

. . . .

2-4 **Let me come back to that later.**

その件については後ほど戻ります。

. . . .

(3-1) **We'll discuss that next time.**

それについては次回話し合います。

. . . .

3-2 **I was hoping to cover that at the next meeting.**

その件については次回の会議で取り上げたいと思っていました。

. . . .

Extra **We can't discuss that until we've agreed on how to proceed.**

その件については、どう進めるか合意した後で話し合いましょう。

* つまり、「その件については、どう進めるか合意する前は話し合えません」ということです。

🔊 **Track 31**

休憩に入る

予定に休憩が織り込み済みの場合でも、進行役はそのときの
会議の進行具合や参加者の様子を見て柔軟に対応しましょう。

🎙 **基本フレーズ**

(1) I think it's time for a break.

休憩の時間のようです。

. . . .

(2) Let's try to be back at 11:30.

11時30分までに戻るようにしましょう。

. . . .

(3) Do you want to skip this break?

この休憩時間は抜かしましょうか？

* 時間が来ても、議論に水を差したくない場合などにはこう問いかける
こともよいでしょう。skip は「とばす／省略する」の意味。

1-1 Maybe we should take a break now.

今、休憩を取った方がいいでしょう。

....

1-2 Those of you who need a bathroom break, go ahead.

トイレ休憩が必要な方は、どうぞ。

* bathroom break は「トイレ休憩」。 go ahead は「さあ、どうぞ」という
ニュアンスです。

....

1-3 Let's discuss this for another 10 minutes and take a short coffee break.

この件について、もう 10 分ほど話し合ってから、簡単なコーヒーブ
レイクにしましょう。

....

2-1 We'll start up again at 11:30.

11 時 30 分から再開します。

....

2-2 After the break, we'll continue talking about this.

休息後も、引き続きこの件について話し合います。

....

2-3 We still have a lot to cover, so don't be late.

話し合わなければならないことはまだたくさんありますので、遅れな
いでください。

....

3-1 Do you want to continue without a break?

休憩なしで続けたいですか？

....

Extra-1 Try to come back from the break with some ideas.

休憩時間から戻るときには、何かアイデアを考えてきてください。

....

Extra-2 The sooner we finish, the sooner we can all get back to work.

早く終われば終わるだけ、皆さん、早く仕事に戻れます。

会議を再開する

休憩や昼食をはさんだ後の会議をスムーズに再開するには、皆の気持ちを元に戻すことが大切です。

🎤 基本フレーズ

(1) Okay, is everyone back now?

それでは、皆さん戻りましたか？

. . . .

(2) Let's get started again.

再開しましょう。

. . . .

(3) Could you call George and tell him to hurry back?

ジョージに電話をして、急いで戻るように言ってくださいますか？

* まだ部屋に戻ってきていない人に連絡を取ってもらうためのフレーズです。hurry back は「急いで戻る」。

📱 応用フレーズ

(1-1) **Are we all here?**

皆さん、いらっしゃいますか？

....

(2-1) **Let's continue where we left off.**

終わったところから、続けましょう。

* where we left off は「終わったところ」という意味です。

2-2 **Let's pick up where we left off.**

終わったところから始めましょう。

....

2-3 **Let's do a quick re-cap before proceeding.**

進める前に、簡単におさらいしましょう。

* do a quick re-cap は「さっとおさらいをする」という意味。

....

2-4 **Does anybody wish to say anything before we proceed?**

進める前に何か言いたい方はいらっしゃいますか？

....

(3-1) **Could someone call George and tell him we're waiting?**

誰かジョージに電話して、皆が待っていると伝えていただけますか？

....

3-2 **Are we waiting for anyone else?**

誰か他の方を待っているのでしょうか？

....

Extra **Time is of the essence, so let's all be prompt.**

時間はとても大切です。皆さん、素早く行動しましょう。

時間の管理をする

タイムマネジメントのために司会者はタイムキーパーを他の人に依頼することもできます。具体的な時間を告げ、できるだけ時間内に議論がまとまるように全体を導きましょう。

🌡 基本フレーズ

① **We only have about 30 minutes left.**

30分程度しか残っていません。

* only を入れることで、残り時間が少なくなっていることを強調できます。

② **We need to finish up by 5:30.**

5時30分までに終わらなくてはなりません。

③ **Can everyone go another hour?**

皆さん、もう1時間続けられますか？

* ここでの go は「続ける／継続する」の意味です。

1-1 **Let's finish within the next 30 minutes.**

30 分以内に終わりましょう。

. . . .

1-2 **We can save that discussion for next time.**

話し合いは次回に残しておきましょう。

2-1 **Let's make sure and finish by 5:30.**

必ず 5 時 30 分までに終わりましょう。

. . . .

2-2 **Some of us have another meeting from 5:45, so let's move along.**

5 時 45 分から別の会議がある方もいらっしゃいますので、どんどん進めましょう。

* move along は「進める／動かす」の意味

3-1 **Would it be okay for everyone to continue one more hour?**

あと 1 時間続けても、皆さんは大丈夫ですか？

. . . .

3-2 **We need to find a solution before we go home today.**

本日帰宅する前に、解決法を見いだす必要があります。

. . . .

3-3 **Let's keep going until we cover all the issues.**

すべてのテーマを取り上げるまで続けましょう。

. . . .

3-4 **Let's be as thorough as possible and cover all topics.**

できるだけ丹念に、すべてのテーマを取り上げましょう。

* thorough は「綿密に、完璧に」。

. . . .

Extra **Let's think about the best course of action over the next day or two.**

1 両日中に、最善の行動指針について考えましょう。

* course of action は「行動指針／（従うべき）一連の行動」という意味です。

オンライン会議　事前準備　開始前　進行役　報告・提案　議論　まとめ　会議後ほか

混乱を収拾する

会議にちょっとした混乱はつきものです。混乱を収めて、そのエネルギーを本題の議論へ向けるようなひと言にしましょう。

🌡 **基本フレーズ**

(1) Okay, let's try to focus on the issues.

分かりました、テーマに集中しましょう。

⋯⋯⋯⋯⋯⋯⋯⋯⋯⋯⋯⋯⋯⋯⋯⋯⋯

(2) Let's try to take turns.

順番に話すようにしましょう。

* take turns で「順番にする」という意味。

⋯⋯⋯⋯⋯⋯⋯⋯⋯⋯⋯⋯⋯⋯⋯⋯⋯

(3) Please only talk when I call on you.

指名されたときだけ、お話しください。

* call on ... は「〜に発言を求める」。

1-1 Let's try not to get off topic.

話が脱線しないようにしましょう。

- -

2-1 Please don't interrupt each other.

お互い話を中断させないようにしましょう。

- -

2-2 Let's try to speak one at a time.

一度に一人が話すようにしましょう。

- -

2-3 Raise your hand if you want to say something.

何か話したいことがある場合は挙手願います。

- -

3-1 Please speak only when called upon.

指されたときだけ、話してください。

* call upon は call on と同じく、「〜に発言を求める」という意味です。

- -

Extra-1 We have time to hear everyone's opinion, so please be patient.

皆さんのご意見をお聞きするだけの時間はありますので、少々お待ちください。

- -

Extra-2 I'll give everyone a turn to talk.

皆さんに話す機会がございます。

- -

Extra-3 Please let everyone finish what they're saying.

皆さんが最後までお話しできるようにしましょう。

- -

Extra-4 Should we break up into small groups and share ideas?

小グループに分かれて意見交換しましょうか？

* Should we ... は「〜した方がいいですか？」という控えめな問いかけです。

会議での役回りと会議で使う物を表す英語の表現を確認しましょう。

議長：chairperson / chair

Let's rotate the role of chairperson.
/ Let's take turns being chairperson.
議長を持ち回りにしましょう。

ファシリテーター（進行役）：facilitator
出席者：attendee / participant
欠席者：absentee
書記：note-taker
＊以前のような secretary というイメージよりも議事録を作成する「記録係」
という位置づけが増えています。

タイムキーパー：timekeeper
発表者：presenter
傍聴者：observer
発案者：proposer
通訳者：interpreter
責任者：supervisor

議事録：minutes / proceedings
配布資料：handout
巻末資料：appendix
マイク：mic / microphone

Chapter 4

報告・提案

会議の大事な目的のひとつが、各種の報告や
提案、意見を交わすことです。そうした場面
で活用できるフレーズを見ていきましょう。

前回の会議の内容を確認する

会議を始めるにあたり、前回話し合ったことを確認する「報告」のためのフレーズを確認しましょう。

🎵 基本フレーズ

(1) **Let me cover the minutes from last week's meeting.**

先週の会議の議事録に触れたいと思います。

・・・・・・・・・・・・・・・・・・・・・・・・・・・・

(2) **We have two issues remaining from the previous meeting.**

前回の会議で2つの項目を残しています。

* remain は「そのままになっている／残る」の意味になります。

・・・・・・・・・・・・・・・・・・・・・・・・・・・・

(3) **Could everyone report on their action items for last week?**

皆さん、先週のアクションアイテム (要処置事項) について報告してくださいますか？

* report on は「〜について報告する」、action item は「要処置事項」という意味。

応用フレーズ

1-1 **Let's review last week's meeting minutes.**
先週の会議の議事録をもう一度見てみましょう。

1-2 **Did everyone receive the minutes by e-mail?**
皆さん、メールで議事録を受け取っていますか？

1-3 **If we're all ready, let's continue where we left off.**
皆さんの準備ができましたら、終わったところから始めましょう。

1-4 **Is there anything we should revisit?**
再検討すべきことは、何かありますか？
* revisit はこの場合「再検討する、再び取り上げる」ということ。

1-5 **Did we have a chance to answer everybody's questions?**
皆さんの質問にお答えできましたでしょうか？

2-1 **We have two issues we need to continue discussing.**
引き続き検討する必要があるテーマが2つあります。

3-1 **Let us know what you did and what you need to work on.**
あなたが何をしたのか、そして何に取り組むべきなのかを教えてください。

3-2 **What is the status of this item?**
この事項の現状はどうですか？

3-3 **Could we update everyone on our action items for last week?**
先週のアクションアイテムの最新情報を皆さんに報告していただけますか？
* update は「最新情報を報告する」という意味になります。Keep me updated. であれば、「何かあったら知らせてください」ということ。

結果を報告する

自分が関わっている案件の進捗状況、結果報告を参加者の前で発表するためのフレーズです。

🎙 基本フレーズ

(1) We have the results of the market study.

市場調査の結果が出ました。

. . . .

(2) I'd like to report on the sales for last month.

先月の売上についてご報告したいと思います。

. . . .

(3) Thanks to everyone's help, the campaign was a success.

皆様のお力添えのおかげで、キャンペーンは成功でした。

* thanks to ...「〜のおかげで」は、一般的にはよいことに用いる場合がほとんどです。

1-1 The market study results are ready.

市場調査の結果が出ています。

* be ready「用意ができている」すなわち「出ています」ということ。

2-1 I'd like to give you the sales report for last month.

先月の売上報告書をお渡しします。

2-2 Now let me tell you about our forecast.

我々の予測を申し上げます。

2-3 I'm afraid the report isn't ready yet.

残念ですが、まだ報告書の用意はできていません。

3-1 The campaign was a success thanks to everyone's hard work.

皆様の努力のおかげで、キャンペーンは成功でした。

3-2 The results of the campaign are better than expected.

キャンペーン結果は予想を超えるものでした。

3-3 It took a lot of work, but we finally did it.

大変な作業でしたが、ようやく終わりました。

* take a lot of work は「かなり苦労する／結構大変である」の意味。

Extra-1 What will be the total cost for our marketing campaign?

マーケティングキャンペーンの総費用はどれくらいになりますか？

Extra-2 Could you explain the sales revenue forecast in more detail?

売上収益予測を、もっと詳しく説明していただけますか？

* sales revenue は「売上収益」。in more detail は「もっと詳しく」という副詞句です。

資料を参照してもらう

具体的な数字や表のある資料があってこそ、会議もスムーズに運びます。手元にある資料を参加者に見てもらうためのフレーズです。

🎙️ 基本フレーズ

(1) **Please refer to page 5 of the report.**

報告書の 5 ページをご覧ください。

. . . .

(2) **The graph at the bottom of the page shows the sales trends.**

ページの下のグラフが売上の推移を示しています。

* 「ページの上に」と言いたい場合は at the top of the page です。

. . . .

(3) **Please look at this report when you have time.**

お時間のあるときに、この報告書をご覧ください。

* 「ひまなときに」when you're free ではなく、「お時間のあるときに」when you have time と言う方がソフトで受け入れやすい表現です。

応用フレーズ

1-1 Please have a look at page 5 of the report.

報告書の5ページをご覧ください。

* have a look at には「ちょっと見る」というニュアンスがあります。

1-2 What I'm explaining will become clear if you see the diagram.

図表をご覧いただければ、私が説明することがハッキリすると思います。

1-3 It shows that we shouldn't have downsized the campaign.

私たちがキャンペーンを縮小すべきでなかったことは、それが示しています。

* downsize は「縮小する／小型化する」。shouldn't have + 過去分詞 は「（過去に）〜するべきではなかった（のにしてしまった）」という意味です。

2-1 The sales trends are illustrated in the graph at the top of the page.

売上の推移はページの上のグラフで解説されています。

* illustrate は「解説する／説明する」の意味。

2-2 This indicates that our sales dropped during the summer.

これはわが社の売上が、夏季に落ち込んだことを示しています。

3-1 Please review this report when you get a chance.

機会があれば、この報告書を見直してください。

3-2 If you'd like a PDF of the report, send me an e-mail.

もし報告書の PDF が必要でしたら、メールをお送りください。

Extra-1 Did everyone receive a copy of the report?

皆さん、報告書のコピーを受け取りましたか？

Extra-2 Use the information in this report as a guide for planning the next quarter.

この報告書の情報を、次の四半期の計画を立てるときの指針としてお使いください。

* as a guide for ... は「〜のための指針として」の意味。quarter は「四半期」。

現状・進行状況を確認する

会議中は折に触れ、現在の会議の進行状況や現状での成果などを確認し、時間の管理に努めましょう。

🎤 基本フレーズ

(1) We're about halfway through the agenda now.

今、ようやく議題の半分が終わったところです。

* halfway through は「道半ば／半ばを過ぎた」という意味です。

. . . .

(2) We only have 20 minutes left.

20分しか残っていません。

* 具体的な数字を告げることで緊張感を持ってもらいます。

. . . .

(3) I think we've covered the main issues.

主要議題は網羅できたと思います。

応用フレーズ

1-1 We've made it halfway through our list of discussion points.

議論事項の半分は終えました。

* make it には複数の意味がありますが、この場合は「やり遂げる／終わる」の意味です。

1-2 It looks like we're making good progress.

順調に進んでいるようです。

1-3 We still need to discuss the most important issue.

まだ最重要課題について討論する必要があります。

1-4 Let's try to cover only the main points.

大切なポイントだけ取り上げるようにしましょう。

1-5 Let's try to cover the other issues now.

別のテーマを取り上げるようにしましょう。

1-6 Let's use the rest of the time to talk about the budget.

残りの時間を使って予算について話しましょう。

2-1 We now have 20 minutes remaining.

あと 20 分残っています。

* only ... と違い、remaining は「まだ残っている」ということで「まだ議論ができる」という意味合いです。

3-1 Okay, that takes care of the main issues.

はい、それで主要テーマの話し合いは終了ですね。

Extra Do you want to focus on one item or try to cover everything?

ひとつのテーマに集中しますか？ それともすべてを取り上げますか？

* 選択肢を用意することで、出席者に参加意識を持ってもらうためのフレーズです。

オンライン会議　事前準備　開始前　進行役　報告・提案　議論　まとめ　会議後ほか

🔊 **Track 39**

新しいプランを提案する

すでに決まっている議題や討論項目とは別に、新たな提案があるときは、時間や状況に応じて、上手に提案してみましょう。

🎤 **基本フレーズ**

① **I'd like to make a suggestion.**

私に考えがあります。

. . . .

② **I have a suggestion for expanding sales.**

拡販について私に提案があります。

* expand sales「販売を拡大する」より、「拡販」。

. . . .

③ **I think I might have a new way to improve quality.**

品質改良の新しい方法があると思っているのですが…。

* I think と I might「かもしれない」の組み合わせは非常に控えめな切り出し方になります。

応用フレーズ

オンライン会議

事前準備

開始前

進行役

報告・提案

議論

まとめ

会議後ほか

1-1 **May I suggest something?**

提案してもよろしいでしょうか？

....

1-2 **I'd like to propose an alternative strategy.**

代替戦略を提案したいと思います。

* alternative strategy は「代替戦略」。propose には suggest に比べてより積極的なニュアンスがあります。

....

2-1 **I have an idea for expanding sales.**

拡販について私に考えがあります。

3-1 **I may have found a new way to improve quality.**

品質改良の新しい方法を見つけたかもしれません。

....

Extra-1 **Could we consider collaboration with a competitor?**

競合会社との連携を考えませんか？

* Could we ...? は「〜しませんか？」。

....

Extra-2 **What do you think about advertising on buses?**

バス車両に広告を出すことについてはどう思いますか？

* advertise on buses は「バスの車両に広告を出す」の意味。また How do you feel about advertising on buses? と言い換えても OK です。

....

Extra-3 **Sales will increase if we can reach younger buyers.**

もし若い購入者層にリーチできれば、売上は増えるはずです。

* reach は「手が届く／広げる」の意味になります。

....

Extra-4 **I need about 20 minutes to explain my plan.**

私の企画を説明するには 20 分ほど必要です。

....

Extra-5 **My plan will be easy to implement.**

私の企画は簡単に実践できます。

その他の提案

会議を進行していく中で、議題とは別に、ちょっとした提案や問いかけなどが出ることもあります。スケジュール、休憩、クライアントへの対応に関連するフレーズを見ていきましょう。

🌡 基本フレーズ

(1) **I'd like to suggest we talk about that next week.**

その件は、次週に話すということでいかがでしょうか？

* I'd like to suggest ...「提案したいと思います」は「〜はいかがでしょうか？」という控えめな提案です。

. . . .

(2) **Maybe we should take a break now.**

今、休憩を取った方がよさそうですね。

. . . .

(3) **Why don't we show this to our clients?**

これをクライアントに見せましょう。

1-1 **I think it's best that we cover that next week.**

その件は次週に取り上げるのが最善だと思います。

* I think をつけることで、控えめなニュアンスが出ます。

- -

1-2 **Maybe we should set up a meeting on Monday or Tuesday.**

月曜日か火曜日に会議を設定するのがよさそうですね。

- -

1-3 **How about on Monday morning?**

月曜日の朝はいかがでしょうか？

- -

2-1 **Do you think we need a break?**

休憩を取る必要があると思いますか？

- -

2-2 **How about 10 minutes? Is that long enough?**

10 分でどうでしょうか？ 十分ですか？

- -

3-1 **Let's present this to our clients.**

これを顧客に提示しましょう。

- -

3-2 **I could e-mail our clients, if you'd like.**

もしよろしければ、私が顧客にメールします。

* If you'd like「もしよろしければ」をつけることによって、他の人の同意を必要としているというニュアンスを出せます。

- -

Extra-1 **How about asking Sam what he thinks after the break?**

休憩後に、サムの考えを聞くというのはどうでしょうか？

* what he thinks「彼の考えていること」すなわち「彼の考え／意見」ということになります。

- -

Extra-2 **Maybe our clients could give us some good feedback.**

おそらく顧客からよい反応が得られるでしょう。

* good feedback は「よい反応／意見」の意味。

オンライン会議

事前準備

開始前

進行役

報告・提案

議論

まとめ

会議後ほか

個人的な意見を述べる

会議では、いかに自分の意見を述べるかが大切です。あまり押しつけがましくない、意見の切り出し方のフレーズです。

🎸 基本フレーズ

(1) **Personally speaking, I think it would be best to say yes.**

個人的に言えば、賛成するのが最善であろうと思います。

* say yes は「賛成する／同意する」の意味。

. . . .

(2) **I'm behind the idea of talking to a consultant.**

コンサルタントに話すという考えを支持します。

* be behind ...「～の後ろにいる」は、すなわち「～を支持する」の意味。

. . . .

(3) **If you ask me, this plan won't work.**

私に言わせれば、この企画はうまくいかないでしょう。

* If you ask me ...「あなたが私に尋ねるなら」が直訳ですが、誰も尋ねていなくても、自分の意見を切り出すための定番表現です。「私に言わせれば」というニュアンスです。

1-1 In my opinion, it would be best to say yes.

私の意見では、賛成するのが最善でしょう。

1-2 If we have everyone's approval, let's move forward.

もし皆さんの承認をいただけるのならば、進めましょう。

* 皆の承認を得ることが前提の場合、このフレーズで切り出しましょう。

2-1 I agree talking to a consultant is a good idea.

コンサルタントに話をするのがよいという考えに私は賛成です。

2-2 I guess talking to a consultant wouldn't hurt.

コンサルタントに話しても損はないと思います。

* wouldn't hurt は「〜しても害はない／ダメ元でやってみるのもよい」という定番表現です。

2-3 It depends on what kind of consultant.

どんなコンサルタントかによります。

* It depends on ... は「〜次第です／〜によります」の意味です。

3-1 I personally don't think this plan will work.

個人的には、このプランがうまくいくとは思いません。

* 「I think + 否定文」[I (personally) think this plan won't work.] と、この文のような「I (personally) don't think + 肯定文」の違いは、否定語（not）の位置です。否定語の位置が文の始めにある方が否定の意思を明確に伝えられると覚えておきましょう。

3-2 Perhaps we should give this more thought.

この件に関しては、もう少し考えた方がよいのではないでしょうか。

3-3 It seems overly simplistic.

それはあまりに単純なように見えます。

* overly は「あまりに、過度に」という意味です。

3-4 I worry it won't have a big enough impact on sales.

それは売上高にさほど大きな効果はないだろうと案じています。

明確に反対意見を述べる

はっきりと反対意見を言わなければならないこともあります。場の空気を変えるような発言は加減が難しいですが、上手な言い回しを覚えておけば安心です。

🌡 基本フレーズ

(1) That would be a mistake.

それは間違いでしょう。

. . . .

(2) Maybe that's not the best direction.

おそらく、それは最善の方向性ではないでしょう。

* maybe をつけることで断定的なニュアンスを避けています。

. . . .

(3) I think there might be a better method.

もっとよい方法があるのではないかと思います。

1-1 I don't think that's the right choice.

それが正しい選択だとは思いません。

1-2 I don't see how that's going to solve our problem.

それが、どのように私たちの問題を解決するのかが分かりません。

* I don't see ...「分からない」はあまり強いニュアンスのないフレーズです。更にソフトにしたいのであれば、I don't really see ... としましょう。

2-1 I don't feel that's the best direction.

それが最善の方向性だとは思いません。

2-2 We need to approach this differently.

この件には異なった対応をする必要があります。

3-1 I think we can find a better method.

よりよい方法が見つけられると思います。

*「今の方法が最善ではない」と言いたい場合の婉曲的な表現です。

3-2 Let's try to think more about this before deciding.

この件については決定する前にもっと考えるようにしましょう。

* ストレートな反対を避けた表現です。

3-3 I can see a few major problems with that.

その件に関してはいくつかの大きな問題があることが分かりました。

Extra I'm not sure we're on the same page.

意見が一致しているとは思えません。

* on the same page「同じページにいる」は「お互い同じ意見を持っている／共通認識がある」という意味です。

確信のある意見を述べる

意見を述べるときの気持ちはさまざまですが、絶対的な確信を持って述べるのであれば、それなりのフレーズが必要です。

🌡 基本フレーズ

① **I'm quite sure that this plan won't work.**

この企画はうまくいかないと確信しています。

* quite sure that ...「～と確信する」は、「that 以下に自信を持っている」ということになります。

. . . .

② **This would be a waste of time and money.**

これは時間とお金の無駄になるでしょう。

. . . .

③ **I'm afraid I can't agree.**

申し訳ありませんが、賛成できません。

* I'm afraid をつけることで I can't ...「～できない」のニュアンスを弱めています。

1-1 **It's not going to work. That's what I think.**

それはうまくいきません。私はそう考えています。

* that's what I think 「それが私の考えていることです」すなわち「私はそう考えています」という意味です。

1-2 **There is definitely a better way to go about this.**

この件に取り組むもっといい方法が必ずあります。

* go about は「取り組む／取り掛かる」という意味です。

1-3 **I would suggest rethinking our initial strategy.**

私なら最初の戦略を考え直すことを提案します。

2-1 **This would be a waste of our assets.**

これは我々の資産の浪費になりますよ。

2-2 **This could do more harm than good.**

これは害があっても益はないはずです。

* do more harm than good は「益よりもむしろ害になる」すなわち「有害無益である」というフレーズです。

3-1 **I'll have to disagree.**

反対せざるをえないでしょう。

* have to「自分の気持ちとは別に外的状況でせざるをえない」を使うことで、断定的なニュアンスを回避できます。

3-2 **I'm afraid I can't go along with this strategy.**

残念ですが、この戦略に賛成はできません。

* go along with ... は「〜に賛成する／同意する」の意味です。

3-3 **I don't see how the company would benefit.**

どうすれば会社が利益を得られるのか分かりません。

Extra **We should focus our time and energy on other areas.**

我々は時間とエネルギーを別のところに集中させるべきです。

オンライン会議
事前準備
開始前
進行役
報告・提案
議論
まとめ
会議後ほか

直感に基づく
意見を述べる 1

理論に裏づけされた意見以外に、直感に基づく意見もあります。
それを相手に伝えるための表現です。

🌡 基本フレーズ

(1) **I don't have a good feeling about this.**

これについては好感触がありません。

* have a good feeling はまさに「直感」を表すフレーズです。

. . . .

(2) **I have a feeling that there has to be a better plan.**

もっとよい企画があるはずだと感じます。

. . . .

(3) **I can't explain why, but I don't like it.**

理由は説明できませんが、気に入りません。

♪ 応用フレーズ

1-1 Something doesn't seem to make sense.

何かが理にかなっていないようなのです。

1-2 I don't know about you, but something doesn't seem right to me.

あなたについてはよく知りませんが、何かが間違っているような気がします。

＊「あなた」という人間に対する不信ではないということを告げることで、個人攻撃ではないことを示しています。

1-3 I don't feel right about making a decision now.

今決断するのは、何かしっくりきません。

＊ feel right は「正しいと感じる／しっくりくる」の意味。

2-1 Are you sure we don't have another option?

本当に他の選択肢はないと思いますか？

3-1 I don't have a concrete reason, but I just know this won't work.

具体的な理由はありませんが、ただこれはうまくいかないと分かります。

＊ just を入れることで「直感」のニュアンスが表れています。

3-2 I don't know why I don't like it, but I just don't like it.

なぜ好きではないのか分からないのですが、ただ好きではないのです。

Extra-1 There are too many risk factors.

危険要因が多過ぎます。

Extra-2 I don't like the plan as it is, but maybe we can improve it somehow.

このままの企画は好きではありませんが、おそらく、何らかの形で改善できると思います。

＊ as it is は「そのままで」の意味になります。

Extra-3 We need to reach a consensus before moving forward.

先へ進める前に、合意に達する必要があります。

＊ reach a consensus は「合意に達する／意見の一致を見る」の意味です。

オンライン会議

事前準備

開始前

進行役

報告・提案

議論

まとめ

会議後ほか

直感に基づく意見を述べる 2

自分の意見に賛成するよう相手を説得するためには、自分の意見が正しいという理由を述べなければなりません。

🌡 基本フレーズ

(1) I think we need to focus on other things now.

今は別の件に集中する必要があると思います。

. . . .

(2) Our clients will not be comfortable with this change.

我々の顧客はこの変更には不安を感じるでしょう。

* comfortable には「居心地がよい」の意味があるので、not comfortable であれば、その逆で「心地悪い/不安を感じる/満足しない」といった意味合いになります。

. . . .

(3) I don't think this is the right time for that.

それをするには今は適切な時期であるとは思えません。

* right time は「適切な時期/潮時」の意味。

♂ 応用フレーズ

1-1 **We should concentrate on other things now.**

今は別の件に集中した方がよいでしょう。

1-2 **We should explore other options.**

他の選択肢を模索するべきでしょう。

2-1 **The customers are happy, so we shouldn't make big changes.**

顧客は満足されているので、大きな変更はするべきではありません。

2-2 **Doing this will affect customer relations.**

これをすることで、顧客との関係に影響が及ぶでしょう。

* affect「影響する／影響を及ぼす」はネガティブな場面に使われます。ネガティブなニュアンスを更に強調したいのであれば Doing this will negatively affect ... のようにすればよいでしょう。

2-3 **We could lose a lot of customers if this plan fails.**

この企画が失敗すれば多くの顧客を失うことになるでしょう。

2-4 **This new policy will drive away customers.**

この新しい方針のせいで、顧客が逃げてしまうでしょう。

* drive away は「追い払う／退散させる」という意味。

3-1 **It might work, but I think we should wait.**

うまくいくかもしれませんが、待つべきだと思います。

3-2 **Let's think more about the timing.**

時機 (タイミング) についてもっと考えましょう。

評価・分析する

相手の意見や企画などを、冷静に評価・分析するときのためのフレーズです。

🌡 基本フレーズ

(1) **I can see three advantages to this plan.**

この企画には3つの利点があります。

*「3つ」と具体的な数字を言うことで相手の関心を引きつけられます。advantage to ... は「〜に対する利点」の意味。

. . . .

(2) **The difficult thing will be finding investors.**

難しい点は投資家探しでしょう。

. . . .

(3) **I like your plan, but do we have enough time?**

あなたの企画は気に入っていますが、時間は十分ですか？

* I like ... を使うことで、相手の考えを頭ごなしに否定することを避けています。

1-1 **This plan provides three advantages.**

この企画は3つの利点を備えています。

1-2 **The biggest advantage is that it will reduce our costs.**

最大の利点は、コストを削減できることです。

1-3 **It seems to be a win-win solution for everyone.**

誰にとってもウィン・ウィンの解法になるようです。

* win-win は「どちらにとってもメリットがある/双方にとって利益がある」という意味です。ビジネスではウィン・ウィンの関係になることが望ましいと考えられています。

2-1 **Finding investors won't be easy.**

投資家を見つけることは決して簡単ではないでしょう。

* won't be easy は「非常に大変」に近いニュアンスです。

3-1 **This is a great plan, but is there enough time?**

素晴らしい企画ですが、時間は十分ですか？

3-2 **Let's simplify certain areas to save time.**

時間節約のために、特定分野を簡素化しましょう。

3-3 **We need at least three months to get ready.**

準備をするには少なくとも3ヵ月が必要です。

Extra-1 **Let's calculate how much we would need to get started.**

始めるためにはいくら必要となるのか計算しましょう。

* 参加者に当事者意識を持ってもらうための Let's ... です。また Let's ... は上司から部下に対して使った場合、ソフトな命令として相手に伝わります。

Extra-2 **A lot of man hours will be required to meet our deadline.**

納期に間に合わせるためには多くの工数が必要になります。

* man hour「工数」とは1人が1時間でこなせる仕事量を指します。経営などで使われる言葉で、冷静なニュアンスがあります。

例を挙げる

自分の意見を効果的に立証するために、実例を挙げるときの
フレーズを見ていきましょう。

🎼 **基本フレーズ**

(1) Let me give you one example.

例をひとつ挙げます。

. . . .

(2) One of my clients had this same problem.

私の顧客の1人がこの件と同じ問題を抱えていました。

* 「顧客の1人」など、具体的な言葉で注意を引きつけましょう。

. . . .

(3) Let's look at a specific case study.

具体的なケーススタディを見てみましょう。

* case study は「ケーススタディ／事例研究」のこと。

応用フレーズ

1-1 I can give you a good example.

よい例をお話しできます。

. . . .

1-2 There are a lot of examples like this.

このような例はたくさんあります。

. . . .

1-3 This example shows that the benefits can be big.

この例は、大きな利益になり得ることを示しています。

. . . .

2-1 One of my clients had the same issue.

私の顧客の 1 人が同じ問題を抱えていました。

. . . .

2-2 I experienced a problem like this in my previous company.

前に勤めていた会社で、このような問題を経験しました。

* a problem like this は「このような問題」の意味。

. . . .

2-3 Let me tell you how a company I know dealt with this problem.

私の知っている会社がこの問題にどう対処したかお話ししましょう。

* すでにその問題に対処した会社の事例は非常に説得力があります。

. . . .

3-1 Let's refer to a specific case study.

具体的なケーススタディを見てみましょう。

* case study「ケーススタディ、事例研究」とは具体的な事例を研究し一般法則を見出していく方法です。

. . . .

3-2 This case study shows we might be doing OK.

このケーススタディは我々がうまくやれるかもしれないことを示しています。

* do OK は「うまくやる」という意味になります。

. . . .

Extra As we can see from this example, the risks are very high.

この例から見て分かる通り、リスクは非常に高いです。

オンライン会議

事前準備

開始前

進行役

報告・提案

議論

まとめ

会議後ほか

将来的展望の話をする

現実の話だけをしていては、将来性がありません。そこには必ず将来を見据えた展望が必要になります。ポジティブな面であればなおさらよいでしょう。

🌡 基本フレーズ

(1) This campaign could really boost our sales.

このキャンペーンで、我々の売上が増えるでしょう。

....

(2) I'm hoping that we'll easily be able to raise capital.

容易に資本を集められればと思います。

* raise capital は「資本を集める」という意味です。

....

(3) I'm sure there will be a lot of interest.

多くの関心が集まると確信しています。

1-1 This campaign will sharply increase our sales.

このキャンペーンで売上は急増するでしょう。

1-2 Hopefully we can expand our target market.

できれば、我々の目標とする市場を拡大できればいいのですが。

2-1 I hope this will improve our brand recognition.

これで我々のブランド認知を高められればと思っています。

2-2 I don't think it'll be difficult to raise capital.

資金調達が困難だとは思いません。

2-3 I don't think we'll have any problem finding investors.

投資家を見つけるのに何ら問題があるとは思いません。

2-4 This will be a great opportunity to expand our product lineup.

わが社の製品ラインナップを拡大するには、これは素晴らしいチャンスになるでしょう。

* product lineup は「製品ラインナップ」の意味になります。

2-5 In the future, I'd like to open an online shop.

将来的には、オンラインショップを開きたいと思っています。

3-1 I'm positive this will receive a lot of interest.

これで、多くの関心を集められると確信しています。

* be positive「確信する」ですが、この場合は「断言する」というニュアンスを持ちます。また I'm a positive thinker.「私は前向きに考える」／ I'm trying to think positive.「私は前向きに考えようとしている」といった場合は、positive は「前向き」という意味になります。

3-2 I'm pretty sure things will go as planned.

物事は計画通りに進むと確信しています。

オンライン会議

事前準備

開始前

進行役

報告・提案

議論

まとめ

会議後ほか

会議は、建設的な発言の場であり、愚痴を言い合う場ではありません。生産性のない発言ではなく、次に繋がる前向きな発言が第一です。ネガティブな発言をどのように前向きに変えることができるのか、ぜひ覚えておきましょう。

■私たちには、深刻な問題が多くあります。

We have a lot of serious problems.

⇒ これら3つの問題を解決する必要があります。

We need to solve these three problems.

■おそらく先方は私たちの提案を受け入れないでしょう。

They probably won't accept our proposals.

⇒ 成功の可能性を高めるために何ができるでしょうか？

What can we do to improve our chances of success?

■何も新しいアイデアが浮かびません。

I can't come up with any new ideas.

⇒ 新しいアイデアを思いつくには少し時間が必要です。

I need a little time to come up with some new ideas.

■この予算ではプロジェクトは実行不可能です。

We can't implement the project with this budget.

⇒ どのようにすれば、この予算でプロジェクトを進めていけるでしょうか？

How can we implement the project with this budget?

■入札から手を引く以外はありません。

The only thing we can do is withdraw from the bid.

⇒ 入札から手を引かないために何かできることがあるはずです。

I'm sure we can do something to avoid withdrawing from the bid.

Chapter

5

議論

会議では議論が白熱することもあります。穏やかに質問するだけでなく、時には批判の的になったり、反対意見を言われることがあるかもしれません。さまざまな場面に対応するための表現を学びましょう。

質問を切り出す

唐突に質問をすると相手にうまく内容が伝わらないということもあります。切り出すフレーズがあってこそ、質問は生きるのです。

🎤 基本フレーズ

① Do you mind if I ask you a question?

質問をしてもいいですか？

* 相手に質問することへの許可を求めるときの基本の表現です。より丁寧にしたいのであれば、Would you mind if ...? とします。答える人は Yes.「質問は受けられません」、No.「どうぞ」と意味が逆になることに注意しましょう。

. . . .

② Do you have time for a few questions?

2、3 質問する時間はありますか？

* 時間があるかどうか尋ねる場合は the のつかない time を使います。

. . . .

③ Can I e-mail you my questions later?

後ほど、メールで質問を送ってもいいですか？

🎵 応用フレーズ

(1-1) **I'd like to ask a question, if you don't mind.**

もしよろしければ、質問をしたいのですが。

1-2 **Do you mind if I ask about the budget?**

予算について聞いてもいいですか？

1-3 **Just one question, where do you think the break-even point is?**

質問をひとつだけ。損益分岐点はどこだと思いますか？

* break-even point は「損益分岐点」のことです。

(2-1) **Do you have time to answer a few questions?**

2、3 の質問に答える時間はありますか？

2-2 **When would be a good time to ask some questions?**

質問をするのはいつがよろしいでしょうか？

* When would be a good time to ...? は「〜するにはいつがよいか」を尋ねる定番表現です。

(3-1) **Can I send you an e-mail with my questions later?**

後ほど、質問のメールを送ってもいいでしょうか？

* an e-mail with ... は「〜のあるメール」ということ。

3-2 **Could I ask you a few questions after the meeting?**

会議後に 2、3 質問してもよろしいでしょうか？

3-3 **Could I call you if I have any more questions?**

他に質問があれば、電話をしてもよろしいですか？

Extra **I'd like to clear some things up.**

少し、整理したいのですが。

* clear up は「明らかにする／解決する」という意味です。

質問する

相手の提案に対していい質問をするために、定番表現を覚えておきましょう。

🌡 基本フレーズ

① **I'd like to know how long it will take to implement.**

実施にはどれくらいかかるのか知りたいのですが。

* how long will it take to ... は「〜するのにどれくらい（時間が）かかるのか」というフレーズ。間接疑問文なので it will の語順になっています。

. . . .

② **Do you know the break-even point?**

損益分岐点をご存じですか？

. . . .

③ **Could you tell me more about the specs?**

機能についてもう少し話していただけますか？

* specs (specifications) とは、「スペック／機能」のことです。

1-1 By when do you think you can finish this?

これはいつまでに終わると思いますか？

- -

1-2 Could you e-mail me back with a time-frame?

期限を書いたメールを返信していただけますか？

* time-frame は「期限／時間枠／概算時間」のこと。

- -

1-3 How long is the set-up time?

準備期間はどれくらいですか？

* set-up time は「準備期間／段取り期間」の意味。

- -

2-1 How much revenue is needed to break even?

収支が合うためにはどれくらいの収益が必要ですか？

- -

2-2 What's the projected ROI?

予測投資収益率はどれくらいですか？

* ROI は Return On Investment「投資収益率」のこと。

- -

2-3 Why is the income in the second year so low?

なぜ 2 年目の収益はこんなに低いのですか？

- -

3-1 Could you give me more details about the product?

製品についてもう少し詳しく教えていただけますか？

- -

3-2 Do you think these figures are accurate?

この数字は正確だと思いますか？

* accurate は「正確な」という意味です。

- -

Extra What's your biggest concern about this plan?

この企画に関するあなたの最大の懸念は何ですか？

質問を受ける

質問は歓迎されるべきもの。質問を受けたときのスマートな
ひと言も覚えておきたいものです。

🌡 基本フレーズ

(1) **Thank you for the question.**

質問をありがとうございます。

. . . .

(2) **I'm glad you asked that.**

その件を質問していただき嬉しく思います。

* その質問をしてくれて「助かった」というときもあります。そんなとき
のひと言です。

. . . .

(3) **I have a graph that will answer that question.**

その質問にお答えできるグラフがあります。

応用フレーズ

1-1 **Thank you for asking that.**

それを尋ねてくださってありがとうございます。

1-2 **It is good that you pointed that out.**

それを指摘してくださってよかったです。

2-1 **I'm glad you brought that up.**

それを提起していただき嬉しく思います。

* bring up は「持ち出す/提起する」。

2-2 **I'm happy to answer that for you.**

喜んでお答えします。

2-3 **Okay, let me clear that up for everyone.**

分かりました、皆様のためにその点を明確にしましょう。

3-1 **To answer that, let me show you a graph.**

それにお答えするために、グラフをお見せいたします。

* 正確に答えるためには、視覚的なグラフや図表は効果的です。

3-2 **If we look at this chart, we can see the answer to that question.**

この図表を見ていただければ、その質問に対する答えが分かります。

◀))**Track 52**

質問にその場では答えない

質問の中には、その場で答えられないもの、答える必要のないものもあります。その場と状況に応じて上手に避けることも大切です。

🎵 基本フレーズ

(1) Could you hold your questions until after I'm finished?

私が終わるまで質問を保留にしていただけますか？

. . . .

(2) I'm afraid we don't have much time, so let me e-mail you the answer.

申し訳ありませんが、あまり時間がありませんので、答えはメールでお送りします。

. . . .

(3) I'm sorry, but that question is kind of off topic.

申し訳ありませんが、その質問は主題から少しそれています。

* 答えを避けられた相手は、あまり愉快ではないかもしれません。このように kind of ...「少々／やや」と断定を避ける表現を使うことで、ソフトなニュアンスになります。

応用フレーズ

1-1 **I'll get to that question after I'm finished.**

私が終わりましたら、その質問に取り掛かります。

* get to は「取り掛かる／着手する」という意味です。

....

1-2 **Let me come back to that question later.**

後でその質問に戻ります。

....

1-3 **Let me get to the question later.**

後でその質問に対応します。

....

1-4 **We'll have some Q&A time after this, so could you hold that?**

これが終わりましたら質疑応答の時間がありますので、保留にしておいていただけますか？

....

1-5 **I want to make my main points, and then I'll get to your questions.**

主題をお話しし、それからご質問にお答えします。

* make one's point は「主張する／話したいことを話す」。

....

2-1 **We're running out of time, so could I e-mail you later?**

時間がなくなりそうですので、後ほどメールを差し上げましょうか？

....

2-2 **I'll send you the answer to that later, if it's okay.**

もしよろしければ、後で答えをお送りします。

....

2-3 **That's a complicated issue. Why don't we talk after the meeting?**

複雑な問題ですね。会議が終わった後に話しましょう。

....

Extra **I think it's best to let Sam answer that question.**

その問題はサムに答えてもらうのが一番よいと思います。

*〈let + 目的語＋動詞の原形〉は「目的語に～してもらう」という強制の度合いが低い使役動詞 (let) を使った文です。「誰かに～をしてもらう」という場合にはうってつけのフレーズです。

オンライン会議

事前準備

開始前

進行役

報告・提案

議論

まとめ

会議後ほか

確認する

ひとつの勘違いや誤解が生じると、後から会議の流れに水を差すことになりかねません。分からないときは、その場できちんと確認するのがベストです。

🎵 基本フレーズ

(1) **Let me verify one thing.**

ひとつ確認させてください。

* verify は「確認する／実証する」という意味です。

・・・・・・・・・・・・・・・・・・・・・・・・・・・・・・

(2) **I need to make sure I understand this.**

理解しているのか確認する必要があります。

・・・・・・・・・・・・・・・・・・・・・・・・・・・・・・

(3) **I'm sorry, but I think I'm getting confused.**

申し訳ありませんが、混乱しているかもしれません。

(1-1) **Could you clear up one thing for me?**

私のために一点、整理していただけますか？

1-2 **Why do you want to start the campaign in July?**

なぜ7月からキャンペーンを始めたいのですか？

1-3 **What's the purpose of advertising only in magazines?**

雑誌だけに広告を出す目的とは何ですか？

* What's the purpose of ...ing?「〜する目的は何ですか？」は目的を問う
シンプルなフレーズです。

(2-1) **Excuse me, but I need to verify my understanding.**

すみません、自分の理解を確認したいのですが。

2-2 **You want to start the campaign on June 12. Is that right?**

6月12日にキャンペーンを始めたいということで、よろしいですか？

* Is that right?「それで正しいですか（間違っていないですか）？」は念押し
をするためのフレーズです。

2-3 **You said we should advertise in magazines. Am I right?**

雑誌で広告するべきだとおっしゃっていましたが、私（の解釈）は正し
いですか？

* 相手の意思を確かめる目的であっても、自分が間違っていないか問う方が、
相手に悪印象を持たれることを回避し、控えめなニュアンスになります。

(3-1) **I'm not keeping up with you.**

理解できていません。

*「あなたに追いついていない」すなわち「理解していない」という意味です。

3-2 **Could you go over that last point again?**

最後のところをもう一度おっしゃっていただけますか？

3-3 **It's a little unclear now, but I'll read the materials later.**

少し不明瞭なのですが、後で資料を読んでみます。

説明を求める

分からないところをそのままにしては時間も無駄になります。相手に上手に説明を求めるためのフレーズです。

🎣 基本フレーズ

① **Could you explain the advantages?**

利点を説明していただけますか？

* advantage は「利点／特長」という意味です。

. . . .

② **Maybe you could tell us about the risks.**

リスクについて話していただけませんか？

. . . .

③ **Do you have a breakdown of this amount?**

この金額の明細はありますか？

* breakdown は「明細／内訳」の意味です。

(1-1) Could you list up the advantages for me?

私に、利点の一覧を書き出していただけますか？

* list でも OK ですが、list up にすると「簡単に一覧を書き出す」というよりカジュアルな表現になります。

(2-1) Could you talk about the risks a little?

リスクについて少し話していただけますか？

2-2 I don't think you covered the risks.

あなたはリスクのことを取り上げていなかったと思います。

2-3 Do you have any information about the risks?

リスクについて何か情報はありますか？

(3-1) Could I get a breakdown of the total?

合計の内訳をいただけますか？

* Could I get ...?「私は手に入れられますか？」すなわち「いただけますか？」という依頼のフレーズです。

3-2 I'd like to know more about the expenses.

経費についてもっと知りたいのですが。

3-3 Could you tell me how you got this figure?

この数字はどうやって手に入れたか教えていただけますか？

* figure は「数字」の他に「総額／価格／数量」などの意味があります。

(Extra) I'm still not sure why we have to make this change.

なぜこの変更をしなければならないのか、まだ分かりません。

意見や説明を求める

議題についての総意を得るためには、個々の意見を聞く必要があります。また必要な説明を求めることも大切なプロセスです。

🌡 基本フレーズ

① What are your thoughts about the cost?

価格についてはどう思いますか？

* What are your thoughts about ...? は相手の意見や感想を求めるときの決まり文句です。

. . . .

② Does anyone have anything to say about the feasibility?

実現の可能性について、何かご意見のある方はいらっしゃいませんか？

* feasibility は企画などを実行に移すときには必ず話し合われることで、「実現 (実行) の可能性」という意味です。

. . . .

③ Is this really going to be profitable? What do you think?

これは本当に利益になるのでしょうか？ どう思いますか？

* profitable は「利益になる／もうかる／もうけの多い」という意味です。

1-1 **Does the cost seem reasonable to you?**

この価格は妥当だと思いますか？

* reasonable は「妥当な／適正な」で、reasonable price であれば「値ごろ」ということです。

1-2 **Do you think we're spending too much?**

費用をかけ過ぎていると思いますか？

2-1 **Are there any comments on the feasibility?**

実現の可能性について何か意見はありますか？

2-2 **Any thoughts about the feasibility? Anyone?**

実現の可能性についてのご意見は？　どなたか？

2-3 **Does everyone feel okay about the feasibility?**

実現の可能性については、皆さん、よろしいですね？

3-1 **Do you really think this is going to be profitable?**

これは利益になると本当に思いますか？

3-2 **I'd like to know what you think about the profitability.**

あなたが収益性についてどう考えているか知りたいと思います。

3-3 **You don't think we're getting ripped off?**

ぼられていると思いませんか？

* Don't you think ...? という疑問文ではなく、平叙文の後ろに「?」を置いた文は、共感を求めるニュアンスがあると同時に批判的に聞こえることを避け、相手に尊敬を払う気持ちが伝わります。get ripped off は「ぼられる／食い物にされる」という意味です。

3-4 **How confident are you about the profitability?**

収益性についてはどれくらい自信がありますか？

* how confident で「自信」の程度を尋ねています。

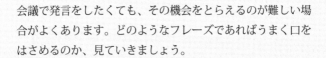

発言したいと申し出る

会議で発言をしたくても、その機会をとらえるのが難しい場合がよくあります。どのようなフレーズであればうまく口をはさめるのか、見ていきましょう。

🌡 基本フレーズ

① Could I say just one thing?

ひとつ、よろしいですか？

* just で「ひとつだけなのですが…」という遠慮のニュアンスを込めています。

. . . .

② Let me add one thing to that.

それにひとつ追加したいのですが。

. . . .

③ You need to understand how this system works.

このシステムがどう機能するのかを理解しておく必要があります。

(1-1) Could I mention something?

ちょっと話してもよろしいでしょうか？

. . . .

1-2 Let me make a point.

ちょっと言わせてください。

. . . .

1-3 One quick comment ...

ほんのひと言ですけど…。

* 「本当に短いひと言を言わせてください。すぐに終わります」というニュアンスがこもっています。

. . . .

(2-1) Let me say something about that.

その件についてひと言言わせてください。

. . . .

2-2 I need to tell you something about that.

その件についてちょっと言わなくてはなりません。

. . . .

2-3 Could you give me a few minutes to explain that?

それについてちょっと説明させてくださいますか？

* give a few minutes to ... 「〜に数分の時間を与える」すなわち「ちょっと〜させる」という意味です。

. . . .

2-4 Can I have a few minutes?

少しよろしいでしょうか？

. . . .

(3-1) I don't think you have the full picture.

あなたが全体像を把握しているとは思えません。

* full picture は「全体像」という意味です。

. . . .

3-2 I think you might be missing something.

あなたは何かを見落としているかもしれないと思います。

* 控えめな指摘になります。miss は「見逃す／見落とす」の意味。

賛成する

会議で、ある意見に対し自分の立場を明確にする際の表現を
見ていきましょう。

🌡 **基本フレーズ** ▰▰▰▰▰▰▰▰▰▰

① I think the advantages outweigh the disadvantages.

欠点よりも利点の方が大きいと思います。

* 2つの事柄の重要性を比較するときの表現です。outweigh は「〜よりも重い」の意味。

....

② If you ask me, we need to move ahead with this.

私に言わせれば、これを推し進める必要があります。

* すなわち、この件（案）には賛成であるということ。

....

③ I'm for it.

賛成です。

* この for は「賛成して／支持して」という意味です。

🎵 応用フレーズ

1-1 There are a lot more advantages than risks.

リスクよりも利点の方が多いです。

1-2 In my mind, the advantages are obvious.

私の中では、利点は明らかです。

2-1 If you want my opinion, we need to say yes.

私の意見を言わせていただければ、これには賛成すべきだと思います。

2-2 I don't know how everyone feels, but I like it.

皆さんがどう感じていらっしゃるのかは分かりませんが、私は気に入っています。

＊ 他の人の意見は分からないが、とにかくその案（件）が気に入っているということ。

2-3 I thought about this, and I think we should do it.

これについては考えました。そして行うべきだと思っています。

2-4 The negatives don't seem very important.

否定的な側面は重要ではないようです。

＊ この場合の negative は「否定的な側面／難点／欠点」という名詞です。

3-1 I'm behind it.

それを支持します。

＊ behind は「～を応援して／奨励して」という意味です。

3-2 It has my support.

それを支持します。

＊「それは私の支持を持っている」すなわち「私はそれを支持します」ということ。

3-3 I give it a thumbs up.

賛成です。

＊ thumbs up は、4 本の指を握り親指を上に伸ばす仕草で Good「賛成／承認」を表します。

反対する

反対意見を言うときは、賛成のときと違い、相手への気遣いが必要になります。

🌡 基本フレーズ

(1) **This seems too risky to me.**

私にはリスクが高すぎるように思えます。

* seem を入れることでネガティブなニュアンスを和らげています。

. . . .

(2) **Do we really have the resources for this?**

私たちには本当に本件に使うだけの資金がありますか？

* resource は「資金」だけでなく「資産／要員」なども表します。

. . . .

(3) **It's a bad idea.**

それはまずい考えです。

* ストレートな反対意見です。

1-1 **I think the risks are too big.**

リスクが大きすぎると思います。

. . . .

1-2 **I don't see the advantages of this plan.**

この計画の利点が分かりません。

. . . .

1-3 **I'm not convinced that this will work.**

これがうまくいくと確信していません。

* be convinced は「確信する」という意味。

. . . .

2-1 **Are we sure that we can really do it?**

本当にできると思いますか？

* Are you sure ...? でも OK ですが、相手を攻撃しているように聞こえる可能性があります。Are we sure ...? のように主語を we にすることで、相手にプレッシャーを感じさせずに、和やかに話すムードを維持できます。

. . . .

2-2 **Is this really what we want to do?**

これが、本当に私たちがしたいことでしょうか？

* 相手に反対するよりも、考えてもらうよう促すときの表現です。

. . . .

2-3 **Have you really thought about this?**

本当にこの件について考えたことがありますか？

. . . .

3-1 **This is not a good idea at all.**

これはまったくいい思い付きではありません。

. . . .

3-2 **This is a mistake.**

これは間違いです。

. . . .

3-3 **I'm against this.**

私はこの件については反対です。

* against は「反対して／難色を示して」という意味。

部分的に賛成する

この点は反対だけれど、賛成の面もある。部分的に賛成する
というよくある場合のフレーズを見ていきましょう。

🎤 基本フレーズ

① **I can agree with only the first two points.**

最初の2点だけは賛成します。

. . . .

② **I kind of see what you mean.**

あなたがおっしゃっている意味は何となく分かります。

. . . .

③ **I don't fully disagree with you.**

完全に反対というわけではありません。

* not fully「完全にではない」すなわち「部分否定」の表現です。

オンライン会議

事前準備

開始前

進行役

報告・提案

議論

まとめ

会議後ほか

(1-1) **The first two points make sense to me.**

最初の2点は納得がいきます。

. . . .

1-2 **I get the first two points, but not the rest.**

最初の2点は理解できますが、残りは理解できません。

. . . .

1-3 **I can go along with two of the four points.**

4点のうちの2点には賛成です。

* 賛成・反対がフィフティー・フィフティーという意味です。

. . . .

1-4 **There were a few things I can agree with.**

賛成できる点が2、3ありました。

. . . .

(2-1) **I think I get it.**

理解はしたと思います。

* I think をつけることで「完全に賛成」ではないことを表しています。

. . . .

2-2 **Some of what you said makes sense to me.**

おっしゃっていることのいくつかは納得できます。

. . . .

2-3 **I kind of agree.**

まあ、賛成です。

* この場合、100パーセントの賛成はしていません。

. . . .

2-4 **I agree, I guess.**

賛成、だと思います。

* 確信はしていないということになります。賛成に近いニュアンスです。

. . . .

(3-1) **I'm not saying you're completely wrong.**

あなたが完全に間違っているとは言っていません。

* 「ただ正しいとも言っていません」の含みがあり、反対に近いニュアンスです。

部分的に反対する

完全に反対するよりもやや気持ちが楽になるフレーズです。

🎵 基本フレーズ

(1) I basically agree, but I have one question.

基本的には賛成ですが、ひとつ質問があります。

* 質問の回答いかんでは、完全に賛成に回る可能性のある表現です。

(2) I have to disagree with you on one point.

1点だけ、反対せざるをえません。

* have to disagree には「反対せざるをえない」と、積極的な反対ではないニュアンスがあります。

(3) You're clearly wrong about one thing.

ひとつだけ明らかに間違っています。

応用フレーズ

(1-1) **I agree with you, but with one exception.**

賛成しますが、ひとつだけ例外があります。

* exception は「例外」という意味ですね。

1-2 **I'm having trouble with one small thing.**

ちょっと分からないことがあるのですが。

* have trouble with は「～に手を焼く／問題がある」という意味です。

1-3 **I'm sorry, but I'm trying to understand one point.**

すみません、1点、理解しようとしてはいますが。

* 「～しようとしている」すなわち「できているわけでなない」というニュアンスです。

(2-1) **I'm having trouble agreeing to this.**

賛成したいのですが、ちょっとできないでいます。

2-2 **I'm not sure why this is so expensive.**

なぜこれがそんなに高いのか分かりません。

2-3 **I like the idea, but I don't understand why it costs so much.**

アイデアは好きですが、なぜそんなにお金がかかるのか理解できません。

(3-1) **You're making one serious mistake.**

あなたはひとつ、重大な間違いを犯しています。

3-2 **I don't think you understand one major point.**

あなたがある重要な点を理解しているとは思えません。

同調・納得する

さまざまな討論や意見の交換を経て、同調したり、納得したりしたときに、そのプロセスを上手に表してみましょう。

🌡 基本フレーズ

① **Everything is starting to make sense now.**

だんだん分かってきました。

* 定番表現です。

. . . .

② **Oh, okay. Now I get it.**

ああ、そうなんだ。今分かりました。

. . . .

③ **I think you've convinced me.**

あなたは私を納得させたと思います。

1-1 **It's a little clearer for me now.**
今、前よりも少し明確になりました。

1-2 **I think I'm with you now.**
今、あなたに賛成だと思います。

1-3 **Your explanation makes sense now.**
今、あなたの説明に納得できています。

2-1 **Oh, I see. Now I understand.**
ああ、なるほど。今分かりました。

2-2 **Oh, right. That's really helpful.**
あっ、そうですね。とても役に立ちますね。

2-3 **Oh, now it makes sense. Thanks for your explanation.**
ああ、やっと意味が分かりました。説明ありがとうございました。

3-1 **Your explanation was very clear and logical.**
あなたの説明はとても明確で論理的でした。

Extra-1 **You're very convincing. Thanks.**
とても説得力がありますね。ありがとうございます。
* convincing は「説得力がある」という形容詞です。

Extra-2 **Okay, you've talked me into saying yes.**
分かりました。あなたに説得されて賛成になりました。
* talk ... into ~ ing は「…を~するように説得する」という意味です。

疑問を示す

相手の意見に納得できなければ、きちんとその場で解決する
必要があります。角を立てずに疑問を示したり、問題点を指
摘したりできれば、議論も深まります。

🌡 基本フレーズ

(1) I think we still need to clear up this issue.

この件を明確にする必要がまだあると思います。

・・・・・・・・・・・・・・・・・・・・・・・・・・・・

(2) I don't know how we're going to get enough money.

どうやって十分な資金を獲得するのかが分かりません。

・・・・・・・・・・・・・・・・・・・・・・・・・・・・

(3) Is there a way to improve the ROI?

ROI（投資収益率）を向上させる方法はありますか？

* improve ROI は「投資収益率を向上させる」ということ。

応用フレーズ

1-1 **I don't think we've solved this problem yet.**

私たちが、この問題を解決できたとは思っていません。

. . . .

1-2 **We can't ignore this problem any longer.**

これ以上、この問題を無視することはできません。

. . . .

1-3 **But we still haven't fixed the problem.**

でも、私たちはまだ問題を解決していません。

. . . .

2-1 **I can't figure out how we're going to raise the capital.**

どうやって資金を集めるのか私には分かりません。

* figure out は「理解する/考えつく」という意味。

. . . .

2-2 **Isn't it going to be difficult to finance this project?**

このプロジェクトに資金を調達するのは難しくはないのですか？

* finance は「資金を調達する」という意味。

. . . .

2-3 **Aren't you worried about finding enough money?**

あなたは十分な資金を工面できるのか不安ではないのですか？

* すなわち「私は不安ですよ」という含みになります。

. . . .

3-1 **Can we do anything to improve the ROI?**

投資収益率を向上させるために、私たちに何かできますか？

. . . .

Extra-1 **I don't think we should move ahead unless we can improve the ROI.**

投資収益率を向上させない限りは進めるべきではないと思います。

. . . .

Extra-2 **The low ROI is too serious to ignore.**

低い投資収益率は、無視できないほど深刻な問題です。

* too ... to ～ で「～するにはあまりに…である」すなわち「…なので～できない」という意味。

批判する

他の参加者や案件そのものに批判を加えなければならないときもあります。軋轢(あつれき)を起こさないような発言をするように心がけましょう。

🎙 **基本フレーズ**

① **I don't think you've given this enough thought.**

あなたがこの件について十分に考えたとは思いません。

. . . .

② **What's the real reason you want to do this?**

これをしたい本当の理由は何ですか？

* かなりストレートな言い方ですが、時には遠回しに言えない場合もあります。

. . . .

③ **It's a good idea, but your proposal is weak.**

よい考えではありますが、企画案が弱いです。

* It's a good idea, but ... をつけることで、批判の色を弱めています。

1-1 **Are you sure you've thought this out?**

この件を考え抜いたと言えますか？

* think out は think よりも「じっくり考える／考え抜く」というニュアンスが出ています。

1-2 **I'm worried that you haven't given this enough thought.**

あなたが十分考えていないという懸念があります。

1-3 **I know you're in a hurry, but you need to rethink this.**

あなたが急いでいるのは分かっていますが、これは再考する必要があります。

* ただ批判的なことを述べるのではなく、相手の事情を理解していることを示せば、言われる側の気持ちも変わってきます。

2-1 **I feel like you're hiding your real motivation.**

あなたは真の動機を隠しているような気がします。

2-2 **You're not hiding anything from us, are you?**

私たちに何も隠していないですよね？

3-1 **You have some good ideas, but your presentation isn't so clear.**

いくつか面白い案がありますが、プレゼンがあまり明確ではありません。

3-2 **Your presentation is going to confuse everyone.**

あなたのプレゼンでは、皆を混乱させることになるでしょう。

3-3 **It's basically an interesting idea, but you need to work on the proposal.**

基本的には面白いアイデアですが、企画案を何とかする必要があります。

* この場合の work on は「手を入れる／直す」すなわち「何とかする」のニュアンスがあります。

3-4 **You sound a little too optimistic.**

少し楽観的過ぎるように思えます。

オンライン会議　事前準備　開始前　進行役　報告・提案　**議論**　まとめ　会議後ほか

批判を受け入れる

批判をする場面があれば、あなた自身が批判される場面もあるはずです。いったんは批判を受け入れる度量の広さを見せましょう。意見があれば次へつなげればよいのです。

🎼 基本フレーズ

(1) Thank you for your frank comments.

率直なご意見をありがとうございました。

* 意見をしてくれたことに対するお礼の定番表現です。

. . . .

(2) That's really good advice.

本当に素晴らしいアドバイスです。

. . . .

(3) I think I'll take your advice.

ご意見を受け入れたいと思います。

🎵 応用フレーズ

1-1 I appreciate your honesty.

あなたの率直さに感謝いたします。

* your honest comment または your honest advice でも OK です。

. . . .

1-2 Thanks for telling me what you really think.

本当に思っていることを言ってくださってありがとうございます。

. . . .

2-1 Your advice makes a lot of sense.

あなたの忠告は納得できます。

. . . .

2-2 Your advice makes so much sense.

あなたのアドバイスは本当に納得できます。

. . . .

2-3 I see what you mean. Thanks.

おっしゃっていることは分かります。ありがとう。

. . . .

2-4 You've really helped me to make up my mind.

おかげで、決心することができました。

*「あなたは私が決心することに手を貸してくれました」が直訳です。

. . . .

3-1 I'm going to do exactly what you recommend.

あなたの進言通りにしようと思います。

. . . .

Extra-1 That means a lot coming from you.

あなたにそう言っていただけて嬉しいです。

* 言っている相手に敬意を示した決まり文句です。

. . . .

Extra-2 Okay, that's what I'll do!

分かりました、それは私がしようとしていたことなんです！

* 相手の意見と自分の意見が合致していることを表しています。

批判を受け入れない

もし、あなたに譲れない一線があるとすれば、しっかり自分の意見を言うことで、それを守る必要があります。しかし、遺恨を残さないよう、発言の際には気をつけましょう。

🎤 **基本フレーズ**

(1) I don't think you understand. Let me explain again.

あなたが理解しているとは思えません。もう一度ご説明します。

. . . .

(2) Thanks for the feedback, but I still like this plan.

フィードバックをありがとうございました。それでも私はこの企画を気に入っております。

* feedback は「意見／評価」の意味。

. . . .

(3) I'm sorry, but I don't need your advice.

申し訳ありませんが、あなたのアドバイスは必要ありません。

♂ 応用フレーズ

1-1 If you understood, I'm sure you wouldn't be so critical.

もし理解しているのであれば、それほど批判的にはならないと思います。

* すなわち、「あなたは理解していない」と言いたいのです。

....

1-2 Maybe I didn't explain this very well.

もしかしたら、私が上手に説明できていなかったのかもしれません。

* 相手が理解していない原因を相手ではなく、自分に求めているため、反論ながらそのニュアンスが和らぎます。

....

1-3 Before you criticize the plan, let me try to explain it better.

あなたが企画を批判する前に、もう少しうまく説明しましょう。

....

2-1 Thanks for trying to help, but this seems to be the better plan.

私を助けてくださろうとしていることには感謝しますが、こちらの方がよい企画のように思います。

....

2-2 I know you're trying to help, but I'll have to make the decision.

あなたが手を貸そうとしてくださっているのは分かりますが、私が決断せざるをえないでしょう。

....

3-1 Thanks, but let me handle this.

ありがとうございます、でも私に任せてください。

....

3-2 Sorry, but this is none of your business.

すみません、でもあなたには関係ないことです。

....

3-3 I really don't need your advice.

あなたのアドバイスは必要としていません。

....

3-4 This is something I have to handle on my own.

これは私自身がやるべきことです。

* handle on one's own は「自身で取り扱う／自分でやる」ということ。

Track 66

中立的な立場であると述べる

物事を冷静に見るために、時にはどちらにもくみしない立場も必要です。しかし、どっちつかずという風に思われないよう、きちんと意見やその理由を述べるようにしましょう。

基本フレーズ

(1) **I need more information to make a clear decision.**

明確な決定をするためにはもっと情報が必要です。

(2) **I want to stay neutral.**

中立でいたいんです。

(3) **This isn't an issue I care much about.**

これはそれほど関心のあるトピックではありません。

* care about は「関心を持つ／大切に思う」という意味です。

154

1-1 **I can't make a judgment until I understand what's going on.**

今の状況が理解できるまで判断はできません。

* what's going on は「何が進行しているか/どうなっているのか」すなわち「現在の状況」ということです。

- -

1-2 **Don't pressure me to state my opinion yet.**

私が意見を言うようにプレッシャーをかけないでください。

- -

2-1 **I don't want to get in this fight.**

この争いには関わりたくありません。

- -

2-2 **I'm sorry, you need to work this out.**

残念ですが、あなたはこの件を何とかする必要があります。

- -

2-3 **Please don't try to get me involved.**

私を巻き込まないようにしてください。

* get ... involved は「～を巻き込む」ということ。

- -

3-1 **I'm sorry, but I don't have an opinion about this.**

すみませんが、この件について意見はありません。

- -

3-2 **I could care less about this.**

この件についてはどうでもいいです。

* I couldn't care less about this. と同じ意味で「これ以上少なく気にすることはできない」すなわち、「まったく気にしない/どうでもいい」になります。

- -

Extra-1 **I'm not ready to say whose side I'm on.**

誰の側に立っているか、言う心づもりができておりません。

* on one's side は「味方をする」ということ。

- -

Extra-2 **I don't have a horse in this race.**

この戦いには加わりません。

*「このレースに馬は出しません」すなわち、「戦いには加わらない」ということになります。

相手の発言に補足する

相手の発言に足りないところがあり、あなたが補足できるのであれば、付け加えましょう。それと同時に、自分の立場をわきまえた言い方を心がけましょう。

🎤 基本フレーズ

(1) **Let me add one thing to what you said.**

あなたのおっしゃったことにひとつだけ付け加えたいと思います。

· ·

(2) **Excuse me, but ...**

失礼ですが…。

* まずは、呼びかけの言葉で注目してもらいましょう。

· ·

(3) **That's all I had to say.**

私が言うべきことは以上です。

* all I had to say は「私が言わざるをえなかったすべてのこと」の意味。

1-1 Could I add something to that?
それに少し付け加えてよろしいですか？

. . . .

1-2 Let me say just one thing.
ひとつだけ言わせてください。

* just ... をつけることで「ひとつだけ…」の意味合いが出ます。

. . . .

1-3 I think you're forgetting one thing.
あなたはひとつ忘れていると思います。

. . . .

2-1 Um, one thing ...
えーと、ひとつなんですが…。

* Um ... は「ためらうとき／関心を示すとき／おどろきを表すとき」などの間投詞になります。

. . . .

2-2 Sorry, but ...
すみませんが…。

* 相手への呼びかけのフレーズです。

. . . .

2-3 Let me remind you that ...
～のことを確認したいのですが…。

. . . .

2-4 Sorry for interrupting.
話の腰を折ってすみません。

* 人の話に割って入るときの定番表現です。interrupt は「遮る／話に割って入る」。

. . . .

2-5 Maybe I can say something to clear things up.
物事を明確にするためにお話ができるかもしれません。

* Maybe I can ...「多分～できるかもしれない」は控えめな提案になります。

. . . .

3-1 That's all I had.
私が知っているのは、これですべてです。

オンライン会議　事前準備　開始前　進行役　報告・提案　議論　まとめ　会議後ほか

代案を提示する

どうしても同意できないという場面はあるでしょうが、反論するだけでは建設的ではありません。きちんと代案を提示することで参加者としての義務を果たしましょう。

🎤 基本フレーズ

(1) **There's an option we haven't considered yet.**

まだ考えていない選択肢があります。

. . . .

(2) **I have an alternative plan we should consider.**

我々が考えるべき代案があります。

* alternative plan は「代案／代替案」のこと。plan B とも言います。

. . . .

(3) **Instead of China, what about going to India?**

中国の代わりに、インドに行くのはどうでしょうか？

* 具体的な選択肢を挙げているフレーズです。 What about ... ing? は提案の定番の表現です。

応用フレーズ

1-1 **We need to consider other possibilities.**

別の可能性を考える必要があります。

1-2 **Let's think about some other possibilities.**

別の可能性を考えてみましょう。

2-1 **Could we consider another plan I have?**

私の別の企画について考えませんか？

2-2 **I have another plan, and I think it's much better.**

私に別の企画があります。そちらの方がずっとよいと思います。

2-3 **Let me tell you about the idea I have.**

私のアイデアについてお話します。

3-1 **How about India instead of China?**

中国の代わりに、インドではいかがでしょうか？

＊ How about ...? は What about ...? と同じで提案の表現。両方とも、後ろに名詞あるいは動名詞(...ing) が来ます。

3-2 **I'd like to suggest that we think about going into India instead.**

代わりにインドへの参入を考えてみることを提案したいのですが。

＊ suggest that ... の後は必ず〈主語＋動詞の原形〉です。go into は「参入する」という意味です。

3-3 **I have an alternative plan for investing in India.**

私にはインドに投資する代替案があります。

Extra-1 **I want to explore other options before making a decision.**

決定する前に別の選択肢を探ってみたいと思います。

Extra-2 **Instead of the alternative plan, let's go with the original one.**

代替案の代わりに、最初の計画でいきましょう。

＊ go with は「〜で行く／〜を選ぶ」という意味です。

妥協・譲歩する

自分の意見が少数派であったり、どうしても受け入れられないかったりするときもあります。そのときは上手に妥協・譲歩点を見つけたいもの。上手な切り出しフレーズを見てみましょう。

🎤 基本フレーズ

(1) **Okay, I think I can agree with you on that point.**

分かりました。その点ではあなたに賛成です。

. . . .

(2) **Okay, I'll give you that.**

まあ、そうだと思います。

. . . .

(3) **All right, I see what you mean about that.**

そうですね、その点についてあなたのおっしゃる意味は分かります。

応用フレーズ

1-1 **I guess you're right about that.**
その点についてはあなたが正しいのだと思います。

1-2 **I guess I can go along with that.**
その点については賛成できると思います。

1-3 **I see what you mean on that.**
その点についてあなたがおっしゃることは分かります。

2-1 **Okay, you're right about that.**
そうですね、その点についてはあなたが正しいです。

2-2 **Okay, you got a point.**
わかりました、いいところを突いていますね。

2-3 **All right, I see.**
分かりました、そうですね。

3-1 **Okay, that makes sense.**
そうですね、納得できます。

Extra-1 **All right, you win on that.**
分かりました。そこはあなたの勝ちですね。

Extra-2 **Okay, one point for you.**
分かりました、あなたに1点ですね。
* one point は「1点入る／得点が入る」すなわち「あなたに軍配」の意味になります。

説得する

提案したり、譲歩したりしながら、意見の相違点を克服してきましたが、どうしても妥協できない点があれば、相手を説得しなければなりません。そのためのフレーズです。

🌡️ **基本フレーズ**

(1) I'd like to emphasize this point.

この点を強調したいと思います。

・・・・・・・・・・・・・・・・・・・・・・・・・・・・・・

(2) We have to give this project our top priority.

我々はこのプロジェクトを最優先にしなければなりません。

* give ... top priority は「最優先にする／最優先事項とする」の意味。

・・・・・・・・・・・・・・・・・・・・・・・・・・・・・・

(3) I'm afraid I can't compromise on this point.

申し訳ありませんが、この点については**妥協できません**。

* ストレートな表現ですが、I'm afraid をつけることでニュアンスを和らげています。compromise は「妥協する」という意味です。

1-1 Does everyone understand this important point?

皆さんは、この重要な点を理解されていますか？

2-1 This is the key part of the plan.

ここが計画のカギを握るところです。

* key part は「カギを握るところ／重要な点」の意味。

2-2 I really want you to understand why we have to do this.

なぜ我々がこれを実行しなければならないのかを、本当に皆さんに理解していただきたいと思います。

* want ... to ～ は「…に～してもらいたい」というフレーズです。

2-3 It's vital that you understand why we're doing this.

なぜ我々がこれを実行するのか、あなたが理解することが不可欠です。

2-4 We can't go on unless you're convinced.

あなたが納得しない限り、進めません。

3-1 This is something that I can't compromise on.

ここは私が妥協できないところです。

3-2 I'm afraid this is something I can't agree to do.

残念ですが、ここは実行することに賛成できない点です。

Extra-1 I can't emphasize enough why this is so important.

なぜこれがそれほど重要なのか、強調してもし足りないくらいです。

* can't ... enough は「十分に～することができない」すなわち「～してもし足りない」という意味です。

Extra-2 For us, this is a deal breaker.

私たちにとって、ここが合意できない点です。

* deal breaker は「合意を壊すもの／話を難航させる点／見逃せない点」ということになります。

熱意を伝える

自分の出した企画や自分が賛同する意見などに対しては、熱意を示すことでしっかりサポートすることが大切です。押しつけがましくなく、熱意の伝わるフレーズがよいでしょう。

🎤 基本フレーズ

(1) **I feel strongly about this.**

この件に関しては強い確信を持っています。

* feel strong about は「～について強く思う/確信を持つ」の意味。

⋯⋯⋯⋯⋯⋯⋯⋯⋯⋯⋯⋯⋯⋯⋯⋯⋯⋯⋯

(2) **I don't think we should give up so easily.**

簡単に諦めるべきではないと思います。

⋯⋯⋯⋯⋯⋯⋯⋯⋯⋯⋯⋯⋯⋯⋯⋯⋯⋯⋯

(3) **The future of our company might depend on this.**

わが社の将来はこれにかかっているかもしれません。

1-1 This is something that I'm sure about.

これは私が確信している点です。

1-2 I'm really passionate about this.

この件には情熱をかけております。

1-3 I can promise you that this will work.

本件がうまくいくことをお約束できます。

* I can promise ...「〜を約束できる」すなわち「それだけの強い思いを持っている」ことを表しています。

2-1 This is an essential part of our vision.

本件は、私たちの展望において必要不可欠な部分です。

2-2 We have to keep on trying.

挑戦し続けなければなりません。

* keep on trying は「止めずに続ける/挑戦し続ける/頑張り続ける」の意味になります。

3-1 If this works, we'll have a secure future.

もしこれがうまくいけば、私たちには確実な未来があるでしょう。

3-2 If we work hard, we can make it a success.

熱心に取り組めば、成功させることができます。

3-3 I know there are risks, but we have to give it a try.

リスクがあることは分かっていますが、やってみなければなりません。

* give it a try で「挑戦しよう」ということになります。

Extra We've come too far to give up now.

今さら諦めることなどできません。

*「諦めるには、遠すぎるところまで来てしまった」が直訳。「ここまで来てしまったので諦めることはできない」すなわち「今さら諦めることはできない」の意味になります。

仮定の話をする

状況を冷静に捉え、分析し事前に手を打つためには、種々の
場面を想定してみることも大事です。

🎙 基本フレーズ

(1) **If we say yes, the staff might lose motivation.**

もし私たちがイエスと言えば、スタッフはやる気を失うかもしれません。

* lose motivation は「やる気を失う／なくす」という意味。

. . . .

(2) **If our clients don't like this plan, they might look for another supplier.**

もし我々のクライアントがこの企画を気に入らなければ、他の業者を探すかもしれません。

. . . .

(3) **If the exchange rate changes, these estimates will all change.**

もし為替レートが変動すれば、この見積もりもすべて変わるでしょう。

* exchange rate は「為替レート」のこと。

応用フレーズ

(1-1) **If we agree, the staff might lose motivation.**

もし私たちが賛同すれば、スタッフはやる気をなくすでしょう。

1-2 **If we say yes to this, then we can't go back.**

これにイエスと言ってしまえば、もう後戻りはできません。

1-3 **If we go ahead with this plan, we'll face a lot of risks.**

この企画を進めれば、必ず多くのリスクに直面するでしょう。

(2-1) **If our clients don't like this change, they'll go elsewhere.**

もし我々のクライアントがこの変更を気に入らなければ、他に行ってしまうでしょう。

2-2 **If we make a few changes, it will reduce the risks.**

もし少々変更をすれば、リスクを減じることになるでしょう。

(3-1) **If the yen rises or falls, it will have a big impact on this plan.**

もし円が上昇するか下落すれば、この計画には大きな影響があるでしょう。

3-2 **If the exchange rate changes, we'll have to revise our plan.**

もし為替レートが変動すれば、我々の計画も修正しなければならないでしょう。

Extra-1 **If our sales drop any further, we'll have trouble repaying our debts.**

これ以上売上が落ちれば、負債の返却は困難になります。

* any further「これ以上」というひと言で、すでに売り上げが落ちていることが分かります。

Extra-2 **If the yen weakens, it will have a big impact on our profits.**

もし円安になれば、我々の利益にも大きな影響が出るでしょう。

* the yen weakens は「円が弱くなる」すなわち「円安になる」ということ。

言い換える・
言い換えてもらう

話が理解されなかったりうまく伝わらない場合には言い換える
必要があります。こちらが言い換える場合と、相手に言い換え
てもらうときの表現です。

🎤 基本フレーズ

(1) I'm sorry for confusing you.

混乱させてすみません。

. . . .

(2) Let me say that another way. I think that ...

他の言い方で説明させてもらいます。私が思いますに…。

. . . .

(3) Could you paraphrase what you just said?

今おっしゃったことを言い換えていただけますか？

* paraphrase は「言い換える」ということ。

1-1 **I apologize for confusing you.**

混乱させたことをお詫びします。

. . . .

1-2 **Let me try to say that in a better way.**

もっとよい言い方で言ってみます。

. . . .

1-3 **Maybe that wasn't very clear. Let me try again.**

あまり明確ではなかったかもしれませんね。もう一度言ってみます。

. . . .

2-1 **What I was trying to say is that I think ...**

私が言おうとしていたことは、私が思うには…。

. . . .

2-2 **In other words, I think ...**

言い換えれば、私が思うには…。

* In other words は言い換えるときの定番フレーズです。

. . . .

2-3 **I'm trying to say that I think ...**

私は…と思っていると言いたいのです。

* I'm trying to say that は「私は～と言おうとしている」の意味。

. . . .

3-1 **Sorry, but could you say that again for me?**

すみませんが、もう一度それをおっしゃっていただけますか？

. . . .

3-2 **Could you summarize the benefits again for me?**

もう一度利点についてかいつまんで話していただけますか？

. . . .

Extra **Could you dumb down your explanation a little for me?**

あなたの説明をもう少し分かりやすく話していただけますか？

* dumb には「愚か者／まぬけ」などの意味があります。そこに down をつけると動詞として「愚か者でも分かるように分かりやすく話をする」という意味になります。すなわち「分かりやすく話す」ということ。カジュアルなフレーズですが問題なく使えます。

誤解を解く

自分としては理路整然と話したつもりでも、相手に正しく伝わっていないのはよくあることです。すぐに謝り、誤解を解き、訂正し、必要に応じて再度分かりやすく説明しましょう。

🎵 基本フレーズ

(1) **Oh, I'm sorry. I think I confused you.**

あ、すみません。混乱させてしまったようですね。

. . . .

(2) **No, that's not what I meant to say.**

いえ、それは私が言おうとしていたことではありません。

* mean to は「～するつもりである」の意味。

. . . .

(3) **No, what I was trying to say is that ...**

いえ、私が言わんとしていたのは…。

170

1-1 I guess my explanation wasn't clear.

私の説明は明確ではなかったと思います。

. . . .

1-2 I don't think I explained the advantages very well.

利点を上手に説明できていませんでしたね。

. . . .

2-1 I'm sorry, that's not what I was trying to say.

すみません。それは私が言おうとしていたことではありません。

. . . .

2-2 No, I think you misunderstood me.

いいえ、あなたは私のことを誤解されたと思います。

. . . .

3-1 No, I want to say that … Okay?

いいえ、私が言いたいのは…。大丈夫ですか？

. . . .

3-2 … is what I mean. Do you see?

…が私の言いたいことです。分かります？

. . . .

3-3 No, what I want to say is that … Is that clearer now?

いいえ、私が言いたいことは…。前より明確になりましたか？

. . . .

Extra-1 I think I gave you the wrong impression.

あなたに誤った印象を与えたと思います。

. . . .

Extra-2 Please stop me if I lose you again.

もし、また話が分からなくなったら、止めてください。

* if I lose you「私があなたを失ったら」は「私の言うことであなたが分からなくなったら」ということです。

結論を先送りにする

Haste makes waste. 急いては事を仕損じる、というたとえが
あるように、決断の前に一呼吸置くことはビジネスの現場で
も大切です。急ぐ気持ちを抑えるひと言です。

🌡 基本フレーズ

① Let's not rush into a decision.

焦って決定しないようにしましょう。

* rush into は「早急に／焦って〜する」という意味です。

② How about deciding after the meeting?

会議後に決定するのはどうでしょうか？

③ Let's wait as long as we can to decide.

返事をするまでに、なるべく時間をかけましょう。

* wait as long as (we) can ... は「できる限り待つ」。この場合の decide
は「決定する」すなわち「返事をする」の意味。「なるべく時間稼ぎをしよう」
ということになります。

1-1 **There's no need to hurry to make a decision.**
急いで決定する必要はありません。

....

1-2 **We need more time to think about this.**
これを考えるにはもっと時間が必要です。

....

1-3 **I think we need more information to make a decision.**
決定を下すにはもっと情報が必要だと思います。

....

1-4 **We still haven't done enough research, and there isn't a deadline.**
まだ十分な調査をしていないし、それに締切りもありません。

....

2-1 **Maybe we should wait until after the meeting to decide.**
決定は会議後まで待ったらどうでしょうか。

....

2-2 **If we wait, we'll understand the situation better.**
もし待てば、状況をもっとよく理解できるでしょう。

....

2-3 **If we hurry and decide, I think we'll make a big mistake.**
もし急いで決定を下したら、大きな間違いを犯すと思います。

....

2-4 **I think more people will attend the next meeting anyway.**
とにかく、次の会議にはもっと多くの参加者があると思います。

....

3-1 **Let's not decide until we really have to.**
本当に必要なときまでは決定しないでおきましょう。
* we really have to ... は we really have to decide ということです。

持ち帰って確認したいと伝える

その場や自分の判断では決定を下せないことはよくあります。その際には遠慮なく、今決定を下せないこと、案件を持ち帰る必要があることを伝えましょう。

🌡 基本フレーズ

(1) **I'd like to sleep on this.**

この件については、ひと晩考えたいのですが。

* sleep on は「ひと晩寝てから考える／判断をひと晩先送りにする」という意味です。

. . . .

(2) **I don't think I'm ready to make a decision now.**

今、決断を下す準備ができているとは思いません。

. . . .

(3) **I need to consult with our lawyers about this.**

この件については、弊社の弁護士に相談する必要があります。

♂応用フレーズ

1-1 **Could you give me a couple of days to look into this?**

この件について詳しく調べるために数日いただけますか？

* look into は「詳しく調べる／調査する」という意味です。

1-2 **I need to research this matter more carefully.**

この案件についてはもっと慎重に調査する必要があります。

1-3 **This is too sudden. I need some time to think about it.**

唐突過ぎます。それについて考える時間が必要です。

1-4 **I will get back to you as soon as I sort out the details.**

詳細を整理次第、すぐに折り返します。

* I'll get back to you. は電話、メールにかかわらず、「折り返し連絡する」という定番表現です。
sort out は「整理する／取捨選択する」の意味。

2-1 **I'm not ready to make such an important decision right now.**

これほど重大な決断を今すぐに下す用意はありません。

2-2 **Could you wait until the end of the month?**

月末までお待ちいただけますか？

3-1 **Allow me to talk with my lawyer about this.**

この件について弁護士と話をさせてください。

* Allow me to ... 「私が〜することを許してください」は「〜させてください」という意味になります。

3-2 **I need to get some legal advice.**

私には法律上のアドバイスが必要です。

3-3 **There are some legal details that I'm not sure about.**

私が確信できない、法律上の問題がいくつかあります。

発言に割り込む

自分の意見を言うためには、時には人の話に割り込む必要も
あります。難易度は高めですが、きっかけのひと言を覚えれ
ば失礼な印象にはなりにくいでしょう。

🌡 基本フレーズ

(1) **Excuse me. I need to interrupt you.**

失礼します。ちょっと口をはさみたいのですが。

(2) **Sorry, but let me say one thing about that.**

すみませんが、それについてひとつ言わせてください。

(3) **Before you go on, I need to say something.**

お話を続ける前に、少し言わなければなりません。

応用フレーズ

1-1 **Could I interrupt you for a second?**

少し、口をはさんでよろしいでしょうか？

* for a second「1 秒の間」すなわち「少しの間／少し」の意味。

1-2 **I have something to add to the discussion.**

議論に付け加えたいことがあります。

2-1 **Allow me to say just one thing about that.**

その件についてひとつ言わせてください。

2-2 **It won't take long for me to finish speaking.**

話し終えるのにそれほど時間はかかりません。

*「ですから話させてください」の意味になります。

2-3 **Just hear me out for a bit.**

しばらく、私の話を最後まで聞いてください。

* out は「最後まで／徹底的に」の意味の副詞。hear out で「最後まで聞く」という意味になります。

2-4 **I know you have the floor, but listen for a second.**

あなたが話す順番であることは承知していますが、少し聞いてください。

* floor には「床」の他に「発言権」の意味があります。すなわち have the floor で「発言権がある／話す順番である」の意味になります。

3-1 **Wait a second. Before you leave, I need to say something.**

少しお待ちください。その議題から離れる前に、少し言っておく必要があります。

Extra-1 **I also have a handout and some notes about this.**

この件については、資料もメモもあります。

Extra-2 **It has to do with the last item on the agenda.**

議論の最後の項目に関係があります。

* have to do with ... は「〜と関係がある／つながりがある」という意味になります。

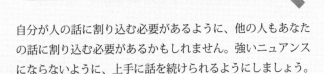
話が中断されそうに
なったとき

自分が人の話に割り込む必要があるように、他の人もあなた
の話に割り込む必要があるかもしれません。強いニュアンス
にならないように、上手に話を続けられるようにしましょう。

🎙 基本フレーズ

① **Let me just finish my point.**

最後まで話させてください。

. . . .

② **Sorry, but I'm not finished yet.**

すみませんが、まだ終わっていません。

. . . .

③ **I think it's my turn now.**

私の番だと思いますが。

🎵 応用フレーズ

(1-1) **Let me finish what I was saying.**

最後まで話をさせてください。

1-2 **Wait until I'm done.**

私が済むまで待ってください。

(2-1) **Sorry, but I'm still trying to explain something.**

すみませんが、まだ説明しようとしているところです。

2-2 **If you listen to the whole explanation, you'll understand.**

説明をすべて聞いていただければ、理解していただけるでしょう。

2-3 **Save your questions for the end.**

質問は最後に取っておいてください。

(3-1) **You'll have your turn, so just wait a bit.**

あなたにも順番がありますので、少しお待ちください。

3-2 **This is my time to talk.**

私の話す番です。

Extra-1 **Can everyone please listen and then ask questions?**

皆さん、聞いてから質問をしていただけますか？

Extra-2 **Would you mind? I have the floor.**

よろしいですか？ 私の順番なんですが。

* Would you mind?「気にしますか？」の意味ですが、この場合は、ちょっと言い含める感じで「よろしいですか？」のニュアンスです。

少し前に出た話題に言及する

必要があれば一度話題にのぼったことを、確認の意味でもう一度言わなければならないことがあります。冗長な発言を避けるために、簡潔な言い回しを心がけましょう。

🌡 基本フレーズ

(1) **As I already said, we don't have much time.**

すでに申し上げた通り、私たちには十分な時間がありません。

* As I already said は何度も使うと、嫌味になります。

・・・・・・・・・・・・・・・・・・・・・・・・・・・

(2) **As we've already discussed, the risks are too high.**

すでに議論した通り、リスクが高過ぎます。

・・・・・・・・・・・・・・・・・・・・・・・・・・・

(3) **I've already told you I can't do this by myself.**

すでにお話しした通り、これは自分ではできません。

1-1 **As previously mentioned, we're running out of time.**

前にも申し上げた通り、時間がなくなっております。

* As previously mentioned は「前述のように」という決まり文句です。

1-2 **As Linda said, we have to finish by 3:30.**

リンダが言った通り、私たちは 3 時 30 分までに終わらなければなりません。

2-1 **As we discussed earlier, there are a lot of risks.**

先ほど議論した通り、多くのリスクがあります。

2-2 **As has been mentioned several times, the risks are high.**

何度も話に出ているように、リスクは高いです。

2-3 **Suzuki-san already told us about the risks.**

鈴木さんはリスクについてすでにお話ししてくださいました。

3-1 **I know I'm repeating myself, but this is a complicated project.**

繰り返しになっているのは承知していますが、これは複雑なプロジェクトです。

3-2 **I've already told you several times that the deadline can be extended.**

何度か申し上げましたが、締め切りは延長できます。

Extra-1 **But you yourself said we can't go overtime today.**

しかしご自身で、今日は時間超過ができないとおっしゃいました。

* go overtime は「時間超過する／予定より長引く」という意味です。

Extra-2 **I said it before and I'll say it again, I can't do it by myself.**

前にも申し上げましたが、もう一度申し上げます。自分ではできません。

オンライン会議

事前準備

開始前

進行役

報告・提案

議論

まとめ

会議後ほか

白熱した議論は決して悪いことではなく、むしろまったく意見の出ない会議よりも成果が期待できます。しかし、正論でも相手にとって不快な意見というものがあります。気遣いを示せる言い回しを覚えましょう。

I...ah...think you...ah...misunderstand this point.
ええとですね、あなたは、その…この点を誤解していると思うのですが。

I'm ah...tied up this afternoon.
ええと、実はですね、今日の午後はいっぱいいっぱいなんです。

* 相手の誤解を指摘したり、相手の依頼を断らなければならないときなどにはストレートに言わずに、このように言えば、口調はずっとソフトになります。ただし、言い過ぎれば優柔不断な印象を与えることになります。

I'm trying hard to understand this.
一生懸命この件を理解しようとしているのですが…。

I think I'm missing something.
何か私が見落としている気がします。

Could you help me understand this?
私がこの件を理解できるように助けていただけますか？

それでも話がどうしてもまとまらなければ次のひと言を。

Let's agree to disagree.
お互いに同意見ではないこととしましょう。

* 話を切り替えるための決まり文句です。

Chapter 6

まとめ

進行役として議論をまとめたり、採決をする
フレーズを見てみましょう。参加者の貴重な
時間を実りある結果に導くためのコツを押さ
えたいものです。

会議の内容を振り返る

会議の終わりへと導くため、それまで討論してきた内容を今一度振り返り、結論を確認したり要約するためのフレーズです。

🎙 基本フレーズ

(1) Let's summarize the meeting and then finish up.

会議を要約して、終わりにしましょう。

. . . .

(2) To summarize, we've made the following three decisions.

要約しますと、次の3つの決定をしました。

* to summarize は「要約するために」ではなく、「要約すると」という意味の定番表現です。

. . . .

(3) I'll summarize today's meeting and send everyone the minutes.

本日の会議をまとめまして、皆さんに**議事録**をお送りします。

応用フレーズ

1-1 **We'll go over what we discussed and then wrap things up.**

話し合ったことを見直してから、終わりにしましょう。

* wrap things up は「終わりにする／まとめる／結論を出す」の意味。

1-2 **We started by discussing the results of the previous quarter.**

私たちは前四半期の業績の話し合いから始めましたね。

1-3 **We agreed that we still need to draft a fiscal budget.**

我々は年度予算の草案を作成する必要があることに同意しました。

* fiscal budget は「年度予算」、draft は「草案を作成する／起草する」。

1-4 **Does anyone have anything to add?**

どなたか、付け加えたいことはありますか？

2-1 **In summary, we decided the following three things.**

要約すれば、我々は次の3点を決定しました。

* in summary は結論を述べたり、要約したりするときの定番表現です。

2-2 **It was decided that HR will hire a new sales manager.**

人事部で新しいセールス・マネージャーを雇うことが決定しました。

3-1 **I'll e-mail the minutes to everyone.**

皆さんに議事録をメールします。

3-2 **I'll also attach a few other files for your reference.**

ご参考までに、別ファイルをいくつか添付いたします。

* for your reference は「ご参考までに／ご参考に」の定番表現。

3-3 **I should be able to send the minutes to everyone this afternoon.**

今日の午後には、皆さんに議事録をお送りできるはずです。

* should be able to ...「〜できるはずです」はビジネスでよく使われる表現です。

オンライン会議

事前準備

開始前

進行役

報告・提案

議論

まとめ

会議後ほか

185

アクションアイテムを
整理する

会議終了のための必要事項のひとつが、アクションアイテム（要処置事項）の整理です。取りこぼしがないようにきちんと確認しましょう。

🎵 基本フレーズ

(1) Let's go over the action items.

アクションアイテムを見直しましょう。

. . . .

(2) Can everyone commit to these action items?

皆さん、アクションアイテムに責任を持って取り組めますか？

. . . .

(3) Have we covered all the action items?

すべてのアクションアイテムを取り上げましたか？

1-1 **Allow me to repeat the action items.**

アクションアイテムを繰り返させてください。

1-2 **We agreed that Tanaka-san would handle the press.**

田中さんが報道機関に対応してくれるということで一致しました。

1-3 **It was decided that George will send us an expense report.**

ジョージが、我々に経費明細書を送ってくれることに決まりました。

2-1 **If something isn't clear, please don't hesitate to ask.**

何か明確でないことがありましたら、遠慮なくお尋ねください。

2-2 **Will these action items be a problem for anyone?**

これらのアクションアイテムに問題のある方はいらっしゃいますか？

2-3 **If you have trouble completing your action items, please e-mail me.**

自分のアクションアイテムの完遂に問題があるようでしたら、私にメールをしてください。

3-1 **Did we miss any action items?**

何かアクションアイテムを見落としていますか？

* Did we miss ...?「私たちが見逃したり、見落としているものが何かありますか？」の意味になります。

3-2 **Please speak out if you noticed anything missing.**

何か見逃していることに気づきましたら、遠慮なく言ってください。

* speak out は、「遠慮なく言う／ハッキリ言う」という意味です。この場合の out は副詞で、「大声で／最後まで／徹底的に」という意味です。

Extra **Do your best to complete all your action items by the deadline.**

締め切りまでにアクションアイテムを完了するように最善を尽くしてください。

アクションアイテムの
優先順位をつける

複数のアクションアイテムを実行するにあたり、重要なことは優先順位をつけることです。ひとつに偏らずに優先順位をつけていく言い方を覚えましょう。

🎙 基本フレーズ

(1) Maybe we should focus on only a few action items.

2、3のアクションアイテムに重点的に取り組んだ方がよいでしょう。

. . . .

(2) Let's prioritize these action items.

これらのアクションアイテムに優先順位をつけましょう。

* priority「優先度／優先順」という名詞の動詞形は prioritize「優先順位をつける」です。

. . . .

(3) Is everyone clear about what they should do first?

何を最初にすべきか、皆さん理解していますか？

* 形容詞の clear には「明確な／澄んだ」などの意味がありますが、人を主語にしたこの場合は「理解する」という意味になります。

1-1 **We should stick to just a few action items.**

アクションアイテムは 2、3 だけに専念した方がよいでしょう。

* stick to ...「粘着する/離れない」すなわち「専念する」という意味です。

....

1-2 **I think these two items, for example, are very important.**

例えば、これらの 2 つの項目がとても重要だと思います。

....

2-1 **Let's think about which items are more important.**

どの項目がより重要か考えてみましょう。

....

2-2 **Which items do you think we should focus on?**

どの項目に重点的に取り組むべきだと思いますか?

....

2-3 **Can this problem be solved quickly?**

この問題はすぐに解決できますか?

....

2-4 **Which item would require the most resources?**

どの項目が一番資金を必要とするでしょうか?

....

3-1 **Do you understand what needs to be done first?**

最初に何をすべきか分かりますか?

....

3-2 **Be sure to complete these first three items this week.**

最初の 3 つの項目は今週中に必ず完了してください。

....

Extra **The last five action items are not a priority, but will need to get done.**

最後の 5 つの項目は優先事項ではありませんが、終わらせる必要があります。

質問を募る

きちんと議論を深めて結論を出すためには、多くの人の疑問点に答えることも大切なことです。質問を上手に引き出すためのフレーズを覚えましょう。

🎤 基本フレーズ

(1) We have time for your questions now.

皆さんの質問をお受けする時間があります。

. . . .

(2) We have plenty of time for questions.

質問のための十分な時間があります。

. . . .

(3) There's time for one more question.

あとひとつだけ質問をお受けできます。

応用フレーズ

1-1 **Let's take a few minutes for questions now.**

質問のための時間を少し取りましょう。

1-2 **If you have a question, please raise your hand.**

質問がある方は、手を挙げてください。

1-3 **Maybe you could stand up when you ask a question.**

質問をするときは立っていただけますか？

2-1 **There's a lot of time for Q&A.**

質疑応答の時間は十分あります。

* Q and A は questions and answers のこと。口頭で言うときはキューアンドエーで OK です。

2-2 **Everyone will have a chance to ask their question.**

質問をする機会は皆さんにあります。

2-3 **We have lots of time, but try to make your question brief.**

十分時間はありますが、質問は手短かにお願いいたします。

3-1 **Does anyone have one final question?**

どなたか、最後の質問はありますか？

3-2 **Any other questions?**

他にご質問は？

3-3 **This is your last chance.**

これが最後の機会です。

採決する

会議の行方を左右するのが採決です。少し緊張する場面ですが、決まり文句を覚えて上手にその場を仕切りましょう。

🎙 基本フレーズ

(1) Why don't we take a vote?

採決しましょう。

. . . .

(2) All in favor, raise your hand. All against, raise your hand.

賛成の方、挙手してください。反対の方、挙手してください。

* この場合の All は全員。All in favor は「賛成の皆さん」、All against は「反対の皆さん」。決まり文句です。

. . . .

(3) It looks like more people are in favor of the plan.

企画に賛成する方のほうが多いようですね。

1-1 **Shall we vote on it?**

それについて採決しましょう。

. . . .

1-2 **Everyone needs to vote on this.**

この件は、全員が投票する必要があります。

. . . .

1-3 **Should we have everyone write their decision on a piece of paper?**

皆さんの決定を紙に書いていただいたほうがよいでしょうか？

. . . .

1-4 **How many people are for/against this?**

何人の方がこれに賛成／反対ですか？

. . . .

2-1 **Can I have a show of hands for those in favor?**

賛成の方は挙手をしていただけますか？

* a show of hands は「挙手による意思表示」ということ。

. . . .

3-1 **There seems to be more people in favor than against.**

反対よりも賛成の方が多いようですね。

. . . .

Extra-1 **Could I abstain? I don't have enough information.**

棄権してもよろしいですか？　私には十分な情報がありません。

* abstain は「棄権する」という意味です。

. . . .

Extra-2 **Maybe we should do a recount of the votes.**

得票を数え直した方がいいですね。

* recount は「再カウント／数え直し」。do a recount で「数え直しをする」という意味。

オンライン会議　事前準備　開始前　進行役　報告・提案　議論　**まとめ**　会議後ほか

会議を延長する

時間内に会議を終えるのは理想ですが、延長せざるをえないときもあります。自分が延長を要求する場合、延長すべきかどうか呼びかける場合の、2通りのフレーズを見ていきましょう。

🎙 **基本フレーズ**

① **I don't think we covered all the issues. What should we do?**

すべてのテーマを網羅できたとは思いません。どうしたらよいでしょうか？

② **Should we end now or go on?**

ここで終わる方がいいでしょうか、それとも続けるべきでしょうか？

③ **Can everyone go for another 30 minutes?**

皆さん、あと30分続けられますか？

1-1 **We haven't covered everything. Should we go on?**

すべてを取り上げたわけではありません。続けた方がよろしいでしょうか？

1-2 **Some of these items are too important to put off.**

これらの項目のうちのいくつかは、とても重要なので、先延ばしにはできません。

* put off は「先延ばしにする／後回しにする」。「先延ばしするにはあまりに重要過ぎる」が直訳。

1-3 **Let's save these items for the next meeting.**

これらの項目は次回の会議まで取っておきましょう。

2-1 **Should we finish up or go on for a little longer?**

ここで終わる方がいいでしょうか？ それとももう少し続けましょうか？

2-2 **Does anyone have an appointment after this?**

この後に何か約束のある方はいらっしゃいますか？

2-3 **We can probably discuss just one more topic.**

あとひとつだけ話す時間がありそうです。

3-1 **Would you be able to stay for another 30 minutes?**

あと 30 分ほど残っていただくことは可能でしょうか？

3-2 **This room is still available for another hour.**

この部屋はもう 1 時間使えます。

Extra **It may eat into your lunch time.**

皆さんの昼休みに食い込んでしまうかもしれません。

* eat into ... は「〜に食い込む」の意味。

会議を切り上げる

まだ結論に達していないのに時間切れだったり、会場の事情
などで会議を切り上げなければならない場合の明確な指示や
意思表示の表現です。

🎤 基本フレーズ

(1) **I'm afraid we need to finish up now.**

残念ですが、今日はこのへんで終了しなければなりま
せん。

. . . .

(2) **We'll have to schedule another meeting.**

別の会議の予定を決めなければなりません。

* schedule は動詞の場合「〜の予定を決める／予定に入れる」という意
味です。

. . . .

(3) **I'm really sorry, but I have another appointment.**

大変申し訳ありませんが、別の約束があります。

1-1 **We really need to bring this meeting to a close.**

この会議はここで終えなければなりません。

* bring ... to a close は「〜を終わらせる」の意味。

1-2 **Are there any final comments?**

最後におっしゃりたいことはありますか？

1-3 **Does anyone have a final question?**

最後の質問がある方はいらっしゃいますか？

2-1 **I guess we'll need to set up another meeting.**

もう一度会議を設定する必要があると思います。

2-2 **There are a few items we didn't have time to discuss.**

話し合う時間がなかった項目がいくつかあります。

3-1 **I'm afraid I have to run to my next appointment.**

申し訳ありませんが、次の約束に急いで行かなくてはなりません。

* have to ...「〜せざるをえない」を使うことで、「残念ですがそうせざるをえない」という気持ちを表すことができます。

3-2 **Why don't you go ahead without me?**

私抜きで進めていただけますか？

3-3 **I'll let you know what we discussed later.**

私たちが話し合ったことについては後でお知らせいたします。

次回の会議の開催と議題を確認する

次回の議題について話し合う必要があります。忙しい人ばかりですから「出たとこ勝負」のような会議は時間の無駄になります。

🎤 基本フレーズ ━━━━━━━━━━

(1) We need to make a decision about the R&D budget.

研究開発予算を決定する必要があります。

* R & D は Research and Development「研究開発」の意味。

. . . .

(2) Why don't we have a meeting on Friday morning?

金曜日の午前中に会議をするのはどうでしょうか？

. . . .

(3) I'll make an agenda and send it to everyone.

議題を作って皆さんにお送りします。

応用フレーズ

1-1　We have to decide the R&D budget figures right away.

研究開発予算額をすぐ決定しなければなりません。

1-2　Let's call a special meeting to discuss this.

この件を話し合うために臨時会議を招集しましょう。

* call a meeting は「会議を招集する／開く」という意味。

1-3　We don't have enough time to meet. Let's just have a teleconference.

私たちが会うだけの十分な時間がありません。テレビ会議をしましょう。

* teleconference は「テレビ会議」という意味です。

2-1　Friday morning might be a good time for a meeting.

金曜日の朝が会議にはよいかもしれません。

2-2　Can we get everyone together this afternoon?

今日の午後は皆さん全員参加できますか？

3-1　I'll draft up an agenda and send everyone a copy.

私が議題の草案を作成して、皆さんにコピーをお送りします。

3-2　If anything needs to be changed, reply to me directly.

何か変更が必要なものがあれば、直接私に返信してください。

Extra-1　Let's delay everything that can be delayed and meet at 4:30.

後回しにできることはすべて後回しにして4時30分に会議をしましょう。

Extra-2　I'll take care of all the arrangements.

私がすべてを手配します。

* この場合は「会議に関わることすべてを手配する」という意味。take care は「取り計らう／面倒を見る」など幅広く使える便利なフレーズです。

次回の会議を調整する

次回の会議の開催が決定すれば、時間や場所の決定と手配が必要です。口頭で確認する場合は簡潔で丁寧な言い方をすべきでしょう。

🎤 基本フレーズ

(1) **Can we decide the time and date for the next meeting now?**

次回の会議の日にちと時間を今決めましょうか？

* 日本語では「日時」になりますが、英語では the time and date と時間、日付の順です。

. . . .

(2) **Is August 5 at 10:30 okay for everyone?**

8月5日10時30分で皆さんよろしいでしょうか？

. . . .

(3) **If you can't make it, could you e-mail me right away?**

もし出席できないのであれば、すぐに私にメールしていただけますか？

* make it は「間に合う／やり遂げる／出席する」などさまざまな意味がありますが、この場合は「出席する」。前後の状況から的確な意味を拾い上げましょう。

1-1 **Could everyone check your schedules now?**

皆さん、今ご自身のスケジュールを確認していただけますか？

1-2 **If possible, I'd like to set up the next meeting now.**

できれば、今、次回の会議を設定したいのですが。

1-3 **If possible, I'd like to meet before the end of the month.**

できれば、今月末前には会合を持ちたいのですが。

2-1 **Does August 5 at 10:30 work for everyone?**

8月5日10時30分で、皆さんのご都合はいかがでしょうか？

* この場合の work は「都合がよい／予定に合う」の意味。

2-2 **Would 11:00 be okay for everyone?**

11時で皆さんよろしいですか？

2-3 **How about the same place, same time, same day next week?**

来週の同じ曜日、同じ時間、同じ場所でいかがでしょうか？

3-1 **If you can't come, could you let me know as soon as possible?**

もし来られない場合は、できるだけ早く私に知らせていただけますか？

3-2 **If you can't come, we have to reschedule the meeting.**

もしあなたが来られないのであれば、会議を再調整しなければなりません。

3-3 **If you can't come, please send someone in your place.**

もしあなたが来られない場合は、あなたの代わりにどなたかを出席させていただけますか？

* in you place は「あなたの場所に」すなわち「あなたの代わりに」ということ。

報告書を作成してもらう

会議の報告書の作成について指示をするときのフレーズを確認しましょう。

🎤 基本フレーズ

(1) **Could you put together a report?**

報告書をまとめてくださいますか？

. . . .

(2) **We need it by 5:30 tomorrow.**

報告書は明日の5時30分までに必要です。

* 人に依頼したり状況を伝えたりするときは、日にちだけでなく時間まで正確に伝えることが大切です。

. . . .

(3) **Could you e-mail a copy to everyone?**

全員にメールでコピーを送ってくださいますか？

1-1 **Would you mind writing up a report?**

報告書をまとめていただけますか？

* write up は「書き上げる／まとめる」の意味。

....

1-2 **You can send it to me later and I'll look it over.**

後で私に送ってください。私がひと通り目を通します。

....

1-3 **Try to make it about a page long.**

1 ページの長さで作るようにしてください。

....

2-1 **It has to be submitted by 5:30 tomorrow.**

明日 5 時 30 分までに提出しなければなりません。

....

2-2 **If possible, we need to send it to everyone by the end of the day.**

できれば、その日のうちに全員に送る必要があります。

* by the end of the day「その日の終わりまでに」すなわち「その日のうちに」という意味です。場合によっては「今日中に」となります。

....

2-3 **Anytime this week should be fine.**

今週のいつでも OK です。

....

3-1 **Make sure that everyone gets a copy.**

必ず、全員がコピーを受け取るようにしてください。

....

3-2 **We only need to send a copy to the department heads.**

私たちは部長にコピーを送るだけで大丈夫です。

* only need to ... は「～しさえすればよい／するだけでよい」の意味。

....

Extra **This report is confidential, so don't show it to anyone but me.**

この報告書は部外秘ですから、私以外の誰にも見せないでください。

* confidential は「機密の／部外秘の」という意味。この場合の but は「～以外の」。

203

◀)) **Track 90**

会議を終了する

「終わりよければすべてよし」です。会議の終了と退席する前の簡単な注意をシンプルに告げましょう。

🎙 基本フレーズ ━━━━━━━━━━━━━━

(1) All right, we'd better finish up here.

さあ、それではこのへんで終わりにしましょう。

. . . .

(2) Okay, thanks for all your input.

はい、それでは皆さん、ご意見などを提供していただき、ありがとうございました。

* Thanks は、ビジネスの場でも使えるフレンドリーな表現です。

. . . .

(3) We need to straighten up the room and leave now.

部屋を整頓してから退出しましょう。

* straighten up は「片づける／整頓する」という意味です。

1-1 **Let's wrap things up.**

さあ、ここで終わりましょう。

. . . .

1-2 **If you have any other comments, e-mail them to me.**

何か別のご意見がありましたら、私にメールしてください。

. . . .

1-3 **Be sure to take a copy of this document on your way out.**

退出する際にこの資料のコピーをお取りください。

* on one's way out は「～が退出する際/出て行くとき」という意味になります。

. . . .

2-1 **I really appreciate all your input.**

皆さんの情報や意見の提供に心から感謝します。

. . . .

2-2 **I'll be sure to take your thoughts into consideration.**

必ず、皆さんの考えを考慮します。

* take ... into consideration は「～を考慮に入れる」の意味。

. . . .

2-3 **Ms. Tanaka will compile all your thoughts into one file.**

田中さんが皆さんのお考えをひとつのファイルにまとめてくれます。

. . . .

3-1 **We need to put these tables in a row.**

この机を1列に並べましょう。

. . . .

3-2 **Let's put everything back the way we found it before.**

初めに置いてあった場所にすべて戻してください。

*「私たちがそれを見つけたように」はすなわち「初めに置いてあったように」ということになります。

. . . .

3-3 **We can leave everything as is.**

すべてそのままにしておいてかまいません。

Column

議論をまとめたり、採決したりする際に使う英語の表現を覚えましょう。

Thanks to you, we were able to reach an agreement without a vote.
皆様のおかげで、採決せずに合意することができました。

If there are no disagreements, we'll say we have approval.
異論がなければ、合意が得られたこととします。

I'm afraid we don't have approval.
残念ですが、合意に達することはできませんでした。

Let's vote by a show of hands.
挙手による採決とします。

If you're in favor, please stand up.
賛成の方はご起立願います。

無記名投票：**a secret vote**
多数決：**a majority vote**
棄権する：**abstain**
全員一致の：**unanimous**

Chapter

7

会議後ほか

最後に、会議後のフォローアップや会議中に
役立つちょっとした表現を見ておきましょう。
会議は数をこなすことで、経験が蓄積されて
いきます。

約束を取りつける・フォローアップの約束をする

会議が終わった後は、すぐに「さようなら」というわけにはいきません。確認事項や次へつながる約束など、お互いに別れる前にしなければならないことがあります。

🎸 基本フレーズ

(1) I'll send you the minutes.

議事録をお送りします。

. . . .

(2) Could we discuss this over lunch?

ランチでもしながらこの件についてお話ししませんか？

* 会議が終わった後でも、食事をしながら話をするのは、新たな進展が考えられます。ぜひ使ってみたいひと言です。

. . . .

(3) Do you have any feedback for me?

私に何かご意見はありますか？

応用フレーズ

1-1 Would you like me to e-mail you the minutes?

議事録をメールでお送りしましょうか？

* Would you like me to ...?「私に〜してほしいですか？」が直訳です。

1-2 I can make copies of the materials from the meeting for you.

会議の資料をコピーしてさしあげましょう。

1-3 Do you need any more information from me?

これ以上の情報がご入り用ですか？

2-1 How about talking about this over lunch?

ランチでもしながらこの件について話すのはいかがでしょうか？

2-2 There's a nice restaurant near here.

この近くにいいレストランがありますよ。

* 食事に誘うための前ふりの言い回しです。

2-3 Do you have an appointment after this?

このあと、お約束はありますか？

3-1 Would you mind giving me some feedback?

私に何かご意見をいただけますでしょうか？

3-2 I'd like to know what you think about my strategy.

私の戦略についてどうお考えか伺いたいのですが。

3-3 Do you see any weak points in my plan?

私の企画に何か弱点はあるでしょうか？

オンライン会議

事前準備

開始前

進行役

報告・提案

議論

まとめ

会議後ほか

レセプション・食事に誘う／返事をする

会議の後にはレセプションが開かれたり、食事に誘い合うこともあります。仕事関係者の誘い方や返事の仕方を見ていきましょう。断るときは角が立たない表現が欠かせません。

基本フレーズ

(1) Would you like to go to dinner sometime?

いつか夕食に行きませんか？

* sometime のように、日時を指定しない誘いは、断りやすいようにという相手への気遣いと、断られた場合のことを考えたフレーズです。Well,I guess ... であれば、あまり乗り気ではありません。逆に Sure! と快諾であれば How about ...? と日程を詰めていきましょう。

(2) We'd be honored if you join us.

私たちとご一緒してくだされば、大変光栄です。

(3) Thank you for asking, but I'm busy this weekend.

お誘いいただきありがとうございます。しかし、今週末は忙しくて…。

*「尋ねてくださってありがとうございます」の意味。断る前にこのようなひと言を述べるのが大切です。

1-1 Would you care to join me for dinner?

私と一緒に夕食でもいかがですか？

* カジュアルな場面であれば Would you を省略し、Care to join me ...? でも OK です。

1-2 We can go another night, if you'd like.

もしよろしければ、別の夜にしましょう。

2-1 It would be great if you could join us.

もし私たちとご一緒してくださるのであれば、大変嬉しいです。

* このように仮定法を使っても、直接的ではなく控えめな印象になります。

2-2 I'm sure it will be really a lot of fun.

絶対に楽しいと思いますよ。

3-1 I'm afraid I already have plans.

残念ですが、別の予定があります。

3-2 Could I take a rain check?

また別の機会にお願いできますか？

* rain check は野球の試合などで「雨で中止になった場合の振替券」、ここでは「また別の機会にお誘いを受ける約束」の慣用表現です。

Extra-1 Sure, I'd love to!

もちろん、行きます！

Extra-2 That sounds like a great idea.

素敵なアイデアですね。

オンライン会議

事前準備

開始前

進行役

報告・提案

議論

まとめ

会議後ほか

スモールトーク

ビジネスの場面でも大切なスモールトークは、案外難しいものです。スムーズなコミュニケーションのために覚えておきたい決まり文句を紹介します。

🌡 基本フレーズ

(1) Where are you originally from?

ご出身はどちらですか？

. . . .

(2) What do you like to do on the weekends?

週末は何をして過ごされていますか？

. . . .

(3) Do you do a lot of traveling?

ご旅行にはよく行かれますか？

応用フレーズ

1-1 **Are you from around here?**
この辺りのご出身ですか？
* 訪問先で使える表現です。

- -

1-2 **Have you lived in a lot of places?**
いろいろな場所に住みましたか？

- -

1-3 **Where did you grow up?**
どちらで育ったのですか？

- -

2-1 **How do you spend your weekends?**
週末はどのように過ごされていますか？

- -

2-2 **Do you have a lot of leisure time?**
ゆっくりできる時間はありますか？
* leisure time は「暇な時間／余暇時間」という意味。

- -

3-1 **Do you often go on trips?**
よく旅に出ますか？

- -

3-2 **What's your favorite place you've been so far?**
今まで訪れた中で、好きな場所はどこですか？
* so far は「これまで／今まで」という意味。

- -

3-3 **Where would you like to visit in the future?**
将来どこを訪れたいですか？

- -

Extra **It seems like there's a lot to do around here.**
この辺りにはたくさんすることがあるようですね。

オンライン会議

事前準備

開始前

進行役

報告・提案

議論

まとめ

会議後ほか

聞き返す

相手の言うことが聞き取れたかどうか自信のない場合は、うやむやにせずきちんと聞き返すようにしましょう。

🎙 **基本フレーズ**

(1) Excuse me, what did you say?

すみませんが、何とおっしゃいましたか？

. . . .

(2) I'm sorry, I couldn't hear you over the noise.

申し訳ありませんが、騒音で声が聞こえませんでした。

* 原因が騒音によるものであると述べることにより、相手への負担がずっと軽減されます。

. . . .

(3) Could you talk about the organization change again?

組織変更についてもう一度おっしゃっていただけますか？

* どこが聞こえなかったのか、箇所を明確にすれば次への対応がずっと楽になります。

応用フレーズ

1-1 **Could you say that again?**

もう一度おっしゃっていただけますか？

....

1-2 **I heard the first part, but not the last one.**

最初の部分は聞こえましたが、最後の部分は聞こえませんでした。

....

1-3 **I heard what you said, but I couldn't quite understand.**

おっしゃることは聞こえましたが、よく理解できませんでした。

....

2-1 **I got distracted by the noise outside.**

表の騒音に気を取られてしまいました。

* get distracted は「気が散る／邪魔をされる」という意味になります。

....

3-1 **Could you summarize the organization change for me?**

私に、組織変更についての要約を話していただけますか？

....

3-2 **I want to make sure I got that. You said the changes will take place in May?**

理解できたかどうか確認したいのですが、変更は5月に行われるとおっしゃいましたよね？

* take place には「起きる」や「行われる／開催される」という意味があります。「偶発的に起きる」happen と区別しましょう。

....

Extra-1 **Sorry, but you lost me.**

すみません。分からなくなってしまいました。

* 責めているニュアンスではありませんが「あなたがどんどん進んでしまうので」という含みがあります。

....

Extra-2 **Could you diagram that on the whiteboard for me?**

ホワイトボードに、それを図解していただけますか？

* diagram「図表」を「図で示す／図解する」という動詞として使っています。

215

不備・不手際を詫びる

準備を整えて臨んだ会議であっても、思いもかけない事態や、不手際が生じることがあります。ただちにお詫びし、対応しましょう。

🎙 基本フレーズ

(1) I'm very sorry for this mistake.

この間違いをお詫びします。

. . . .

(2) I will take care of the situation right away.

この状況に直ちに対応いたします。

. . . .

(3) I'll make sure this never happens again.

二度とこのようなことが起こらないようにいたします。

* 謝るだけでは不十分です。今後どのように対応するのかということがより大切です。

応用フレーズ

(1-1) I am terribly sorry for this mistake.

この間違いを心よりお詫びいたします。

....

1-2 Please accept my apology.

ここに心よりお詫びいたします。

* 「私の謝罪を受け入れてください」が直訳です。

....

1-3 Oops, sorry about that.

おっと、すみません。

* Oops! は、失敗をしたとき、驚いたときの間投詞です。

....

1-4 I hope this hasn't caused you too much trouble.

この件で、あなたに多大なご迷惑をおかけしていなければよいのですが。

....

(2-1) I'll get this fixed immediately.

直ちに修正いたします。

....

(3-1) We guarantee that this will never happen again.

このようなことが二度と起きないことをお約束いたします。

* guarantee は「約束する／保証する」で、フォーマルなニュアンスがあります。

....

3-2 Thank you for pointing out this problem.

この問題をご指摘いただきありがとうございました。

....

Extra I apologize for my ineptness.

私の不手際をお詫びいたします。

* ineptness は「能力の欠如」の意味です。

会議を中座する

どんなに重要な会議の最中でも、中座しなければならないことがあります。くどくどと理由を述べて流れを中断させることのないよう、速やかに退出しましょう。

🎤 基本フレーズ

(1) Could you excuse me for a minute?

ちょっと失礼します。

* excuse は「勘弁する／容赦する」の意味ですが、「中座／退出を許す」の意味もあります。

. . . .

(2) I'm afraid I have to leave now.

申し訳ありませんが、退出します。

. . . .

(3) I have an emergency.

急用ができてしまいました。

* emergency は「緊急事態／突発事故」ですが、中座するときに急用の内容を説明する必要はありません。速やかに退出しましょう。

1-1 **I'm afraid I have to step out.**

失礼ですが、席を外さなければなりません。

1-2 **Excuse me, but I have to take this call.**

失礼します。この電話を取らなければなりませんので。

＊携帯電話に大切な着信などがあったときのフレーズです。

2-1 **I'm sorry, but I have to go now.**

申し訳ありませんが、席を外さなければなりません。

2-2 **Is there anything you'd like me to do before I leave?**

退出する前に何か私のすべきことはありますか？

3-1 **A work emergency just came up.**

仕事上の緊急事態が起きてしまいました。

3-2 **I have to take care of a family thing.**

家族のことに対処しなければなりませんので。

3-3 **My plane leaves in only an hour.**

飛行機が 1 時間足らずで出てしまいますので。

Extra-1 **Could you go on without me for a minute?**

少しの間、私抜きでそのまま続けていただけますか？

Extra-2 **Could I get the rest of the handouts before I go?**

退出する前に、残りの資料をいただいてもよろしいですか？

英語が苦手で
あることを伝える

信用を得たいビジネスの場で、My English is poor. などと
poor という形容詞を使うのはいただけません。もう少し前
向きなフレーズで伝えたいものです。

🎤 基本フレーズ

(1) **English is not my strength.**

英語は得意ではありません。

* strength はそのまま「強み／長所」という意味です。

. . . .

(2) **Please let me know if something isn't clear.**

もし不明瞭なことがありましたら、お知らせください。

* こう言っておけば、相手は気軽に質問できるでしょう。

. . . .

(3) **Would you mind if I record the meeting?**

会議を録音してもよろしいでしょうか？

1-1 I'm still struggling with English.

まだ英語と悪戦苦闘中です。

* struggle with ... は「〜と格闘する／〜に悪戦苦闘する」という意味です。

1-2 I'll try to speak slowly and carefully.

ゆっくり注意して話そうと思います。

2-1 Don't hesitate to stop me if something is unclear.

何か不明瞭であれば、遠慮なく止めてください。

2-2 I don't mind repeating myself, so please stop me anytime.

繰り返すことはかまいませんので、いつでも止めてください。

2-3 Please stop me if you'd like me to repeat something.

何かを繰り返す必要があれば、声をかけてください。

3-1 I'd like to record the meeting for my understanding.

自分の理解のために会議を録音したいのですが。

3-2 I think I can understand if everyone speaks slowly.

もし皆さんがゆっくり話してくだされば理解できると思います。

Extra I might have missed something. Did anyone take notes?

何か聞き逃したかもしれません。どなたかノートを取りましたか？

会議が終わった後は、そのまま会場を出る場合、あるいは主催者の意向により食事会やレセプションがある場合などさまざまです。いずれにせよ、この人とはもう少し個人的に話をしたいと思えば、話しかけて約束を取りつける必要があります。日本のように名刺交換ができれば問題ありませんが、欧米では名刺はそれほど使われていません。自分から積極的に声をかけていきましょう。

Let me give you my business card.
こちらが私の名刺です。

This is my contact information. / This is my e-mail address.
こちらが私の連絡先です／eメールアドレスです。

Could I have your business card?
名刺をいただけますか？

＊実はこの順番が非常に大切です。自分から名乗ったり、連絡先を教えたりした後に、相手の名刺をもらうようにしましょう。

Give me a call sometime. / If something comes up, please let me know.
お時間のあるときにお電話をください。／何かありましたら、ご連絡ください。

I'd like to visit you at your earliest convenience.
そちらのご都合がつき次第、お訪ねしたいのですが。

I'd like to talk with you some more about this topic.
この件についてもう少しお話させていただきたいのですが。

＊このように具体的に希望を述べてもよいでしょう。

デイビッド・セイン（David Thayne）

（株）AtoZ English 代表。米国生まれ。証券会社勤務後に来日。日本での
30 年にわたる英語指導の実績を生かし、英語学習書、教材、Web コンテンツ
の制作を手掛ける。累計 400 万部を超える著書を刊行、多くがベストセラーとなっ
ている。

オフィシャルサイト：https://www.smartenglish.co.jp/

執筆協力：AtoZ English

新定番　会議の英語フレーズ 1000

2023 年 3 月 20 日　初版発行

著者　　デイビッド・セイン

　　　　©AtoZ English, 2023

発行者　伊藤 秀樹

発行所　株式会社 ジャパンタイムズ出版

　　　　〒 102-0082 東京都千代田区一番町 2-2 一番町第二 TG ビル 2F
　　　　ウェブサイト https://jtpublishing.co.jp/

印刷所　日経印刷株式会社

本書の内容に関するお問い合わせは、上記ウェブサイトまたは郵送でお受けいたします。
定価はカバーに表示してあります。
万一、乱丁落丁のある場合は、送料当社負担でお取り替えいたします。
（株）ジャパンタイムズ出版・出版営業部宛てにお送りください。

Printed in Japan　ISBN 978-4-7890-1858-6

本書のご感想をお寄せください。
https://jtpublishing.co.jp/contact/comment/